デザインの基礎が身につく

フラワーアレンジ
上達レッスン60 新装版

長井睦美 監修

はじめに

四季折々に咲く花は、そこに咲いているだけで、美しく、華やかで、

ときには私たちの心を癒してくれます。その花を暮らしの中に取り入れて、

豊かに楽しむためにフラワーアレンジメントがあります。

"暮らしの中で花を楽しむ"そのひとつが、

伝統的な行事や家族のお祝い事です。そこでは飾られた花を眺めることで、

行事の持つ本来の意味や昔からの言い伝えなどを知り、

文化を大切にする日本人としての心の豊かさを感じることが多々あります。

本誌でも行事やお祝い事のアレンジメントを紹介しました。

"暮らしの中で花を楽しむ"その私たちの生活様式も年々、変化をしています。

お花の飾り方も多様化してよいのではと思います。生活雑貨を花器にしたり、

和風や洋風の従来の飾り方にこだわらずに、お花に親しむのもよいでしょう。

しかし、季節の花の美しさ、魅力を生かしたアレンジメントが望ましいですね。

そんなアレンジメントをするのに必要なものは何？　と改めて考えてみました。

道具、花の選び方、水揚げなどの下準備、

そして、形態や色合わせなどの基本の知識はもちろんですが、

花本来の姿をよく観察する事が大切です。

花の形、色、枝振りなど、じっくり眺めていると、
その花の魅力が見えてくるはずです。
できることなら私たちの手元に来た花たちがどういった所で、
どんな風に咲いていたか思いを巡らしてください。
英語でアレンジとは "…を配列する""…を整とんする""整える" です。
花の魅力を知ったうえで、改めて、痛んだ葉や余分な葉、つぼみを取り除き
効率よく水揚げがされるように花を整え、花や葉の形状に合った構成に配列を考え、
飾って見てください。

今回は特別な花材でなく"普通"に花屋さんで買える花材を選びました。
できるだけ時間をかけずに手軽に"簡単"にできるアレンジを提案しました。
中には一見"手の込んだアレンジ"に見えるものもありますが、
直ぐに活用していただくために、ちょっとした"工夫"や"小物"の紹介もしました。
「教室でレッスンを受けるのと同じように解りやすく、楽しんでアレンジ」を
コンセプトにできるだけ詳しく解説をしています。
そして"花のある暮らし"をご自身で
アレンジしていただける一助になれば幸いです。

　　　　　　　　　　　　　　　　　　　　　　　　　　　　　長井睦美

デザインの基礎が身につく
フラワーアレンジ
上達レッスン60 新装版

Contents

本書は2012年発行の『もっと素敵にセンスアップ！毎日のフラワーアレンジ60のポイント』の書名・装丁を変更し再発行した『デザインの基礎が身につくフラワーアレンジ上達レッスン60』（2018年発行）の「新装版」です。発行にあたり、内容を確認のうえ必要な修正を行い、装丁を変更しています。

Chapter 1
マスターしたいアレンジ・テクニック7 9

1. デザインの基本を知る 10
Point1 アレンジの基本デザイン5種類をマスター
Point2 場所によりアレンジを使い分ける

2. 花を役割で分ける 16
Point3 花の役割を知ると調和したアレンジになる

3. グルーピングを活用する 18
Point4 グルーピングする目的をはっきりさせることが肝心

4.「葉物」を使いこなす 20
Point5 色と形の違いを生かせば葉物だけで個性が出る
Point6 葉物の役割とテクを知って上級アレンジ

5. 色とアレンジの関係を知る 26
Point7 色の持つ性質を知って花の色選びをする

6. 白色の魅力を生かす 28
Point8 アクセントに白を使うと全体が引き締まる

7. 花器選びでアレンジの幅が広がる 30
Point9 花器の特性を知ってアレンジに生かす

Q&A アレンジテクについてお答えします 34

Chapter 2
春夏秋冬のアレンジ40　35

春の息吹をアレンジ　36

春の花図鑑　37

春の喜びを表現　38
Point10　ミックスされた色に「白」を添えて、エレガントに統一感を出す
Point11　カラフルキュート！　スプリングガーデン風にアレンジ

花器が主役　40
Point12　ハランを花留めに使い、ヒヤシンスの動きを出すのがポイント
Point13　花模様の器を生かして置物のように活ける
Point14　花も色も限定するドミナント配色はイメージをより強くする

自然をアレンジ　43
Point15　球根をあえて見せて春の野原をイメージする

春をプレゼント　44
Point16　タジマジススタイルでアレンジ。バランスよく仕上がる
Point17　長く保つコツは保水処理

チューリップを主役・脇役に　46
Point18　チューリップが庭に植えられている雰囲気をパラレルのスタイルで表現
Point19　桜とチューリップの2大スターの競演。枝物を主役にするほうが映えるアレンジになる

How to Arrange　48

Contents

夏の躍動感をアレンジ 50

夏の花図鑑 51

「五月の節句」 52
Point20 節句飾りのそばに飾るのにふさわしく シンプル、おしゃれにアレンジ

アジサイを活ける 53
Point21 白のアジサイにグリーンのみを合わせ和モダンにアレンジ

ヒマワリで夏をアレンジ 54
Point22 存在感があるのに可愛い、ヒマワリの特徴を生かしたアレンジ

Point23 枝をコーディネートして、夏山をテーブルで楽しむ

「母の日」 56
Point24 カーネーションだけでブーケ。ハランのリボンがポイント

爽やかに 57
Point25 爽やかな初夏の野をスミレで表現。スミレの香りに包まれる

Point26 白とパープル、レースフラワーが涼やかな夏をイメージ

Point27 ラインの花グラジオラスをマスで使い、白を強調して夏アレンジに

How to Arrange 60

秋の趣をアレンジ 62

秋の花図鑑 63

ダリアを主役に 64
Point28 秋の実物、枝物を脇役に秋の風景をアレンジ

Point29 チョコレートコスモスを選んで秋のシックなイメージを強調

「お月見」を活ける 66
Point30 ススキを主役に立体的に活けるには、ススキの長さと穂の向きがポイント

小さな秋を見つけました 67

菊を楽しむ 68
Point31 馴染みの花は手作り花器で斬新アレンジ

Point32 小菊の特性を生かして1本でバランスよくアレンジ

「ハロウィン」 70
Point33 収穫祭を黄色、オレンジ、赤、茶色の実りの秋色で表現

「サンクスギビングデー」 71
Point34 グルーピングで収穫の感謝をアレンジ

How to Arrange 72

冬の行事をアレンジ 74

冬の花図鑑 75

「クリスマス」 76

Point35 アマリリスで1本でも魅力的。クリスマスをモダンでシックにアレンジ

Point36 アマリリスとモミの木でクリスマスカラーを強調

Point37 クリスマスオーナメントを使って楽しくアレンジ

Point38 アレンジで残った花材はオーナメント作りに活用

「お正月」を活ける 80

Point39 新しい年を期待する新春の心を表現

Point40 松と万年青で凛としたお正月を表現

Point4I お正月の代表格で「今年もよろしく」を表現

Point42 大王松とスイセンで新しい年の末広がりを表現

Point43 花はグルーピングして平面分割。お節料理に見立てる

Point44 テーブルもお正月。華麗にコーディネート

How to Arrange 86

1年の喜びをアレンジ 88

通年の花図鑑 89

ユリのアレンジ 90

Point45 カサブランカとグリーンでカサブランカを強調

Point46 枝もユリも低く活けるのがこのアレンジのポイント

バラのアレンジ 92

Point47 ピンクの同系色でまとめるとロマンティックなイメージに

Point48 同色の花をグルーピング。白色をアクセントカラーに

ランのアレンジ 94

Point49 シンビジューム1本でランの華やかさをアレンジ

Point50 手に入りやすいデンファレでパーティのテーブルアレンジ

How to Arrange 96

Q&A アレンジメントについてお答えします 98

Contents

Chapter 3

花をもっと楽しむアイデア6 99

1. 和花を「洋」にアレンジ 100
Point51 平面アレンジや洋の花器でお洒落に

2. 洋花を「和」にアレンジ 102
Point52 花器とパートナー花は和イメージのものを選ぶ

3. 3倍楽しむ活け替えテク 104
Point53 活け替え「時」を見極めるのが大切

4. 花アクセサリーを作る 107

5. 1輪挿しを楽しむ 108
Point54 1輪の花を生かすには花器選びがポイント

6. 1種類の花で個性的アレンジ 110
Point55 花材の形、開き方、色のグラデーションを大切に

Q&A 花の楽しみ方についてお答えします 112

Chapter 4

知っておきたいアレンジ前の手入れテク 113

1. 花屋さんと仲よくなる 114
Point56 花への愛情があるかをチェック

2. 元気な花の見分け方 115
Point57 花びら、葉、つぼみなど6箇所をチェック

3. 花留めの方法を知る 116
Point58 花留めはアレンジの良し悪しを左右する

4. 花材を長持ちさせる 120
Point59 水切り、水揚げのひと手間が花の元気に影響

5. アレンジ前に枝・葉を整理 122
Point60 上手なアレンジには葉・枝の思い切った整理が肝心

Q&A アレンジ前のお手入れについてお答えします 124

アレンジメントに関する用語集 126

Chapter 1

マスターしたい
アレンジ・
テクニック7

1. デザインの基本を知る

2. 花を役割で分ける

3. グルーピングを活用する

4.「葉物」を使いこなす

5. 色とアレンジの関係を知る

6. 白色の魅力を生かす

7. 花器選びでアレンジの幅が広がる

デザインの基本を知る

デザインの基本には「ラウンド」「トライアンギュラー」「ホリゾンタル」「ファン」「パラレル」の5種類があります。このデザインが組み合わされてさまざまなアレンジが生まれます。もちろん、まったく違うフリースタイルもあります。また、花が飾られる場所によっても分類されます。それが三方見と四方見です。それぞれのアレンジの特徴を見ていきましょう。

Point 1 アレンジの基本デザイン 5種類をマスター

ラウンド

上から見るとまん丸で横から見ると半円球のデザインです。かわいい、ロマンティック、夢みがち、などのフレーズが合うアレンジです。アレンジのポイントは、ラウンドでも平面的にならないことと、全体にふんわりと優しく見せる花あしらいをすることです。

バラを主体にしたピンクのグラデーションが優しい印象のアレンジ。白いバラを挿すことで、平面的に見えがちなアレンジを立体的に見せています。(p92)

花の形はさまざまだが、色味を紫系に統一したことで洗練されたアレンジに。レースフラワーを加えることで、ふんわりとした印象になっています。(p58)

赤のカーネーションと白のホワイトスター、レザーリーフファンでラウンドを構成。ホワイトスターの白がカーネーションの赤をより鮮明にしています。

1 まずバラを挿す。高さを決める1輪を中央に挿し、アウトラインを決める6本を底辺に挿す。

2 トップの1本と底辺2本を結ぶ三角形の中央に、バラを挿してドーム型を作る。バラの間にレザーリーフファンを挿す。

3 デルフィニュームをバラの間にグルーピングして挿していく。テンモンドウで動きと柔らかさをプラス。

ここが大事！

ラウンドでは高さを決める花1本とアウトラインを決める6本の花が基本になります。アウトラインの花と高さを決めた花を結ぶ三角形の間に花を加えていきます。常に中心に向かって挿していきます。

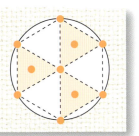

花材＊バラ　デルフィニューム
　　　テンモンドウ
　　　レザーリーフファン

花留め＊吸水フォーム

トライアンギュラー

三角形の形からこの名がつき、二等辺三角形が基本のデザイン。三角形の各点に花がくるように、また左右対称に花を挿すのがポイントです。後ろが背になる場所に飾りますが、バック処理も肝心です。

横から見ると一直線に見える。

後ろもきれいに処理しておく。

花材 ＊スプレーバラ
　　　　ラクスパー（ちどり草）
　　　　玉シダ

花留め ＊吸水フォーム

1 高さ・底辺の長さが2等辺三角形になるように、5本のバラを挿す。奥行きは15cmぐらいに。

2 5本の花をつなぐようにバラを挿していく。

3 アウトラインを強調するように、また、吸水フォームをカバーするように玉シダとラクスパーを挿す。

ここが大事！

三角形の頂点にラインフラワー、2つの点にも花がくるようにアレンジするのがポイントです。壁に添わせて飾るデザインで、アレンジの後ろは見せませんが、見られてもいいように整えるのも大切なポイントです。

ホリゾンタル オーバル

ホリゾンタルオーバルは中央が盛り上がった水平のデザインで、上から見るとダイヤモンド型に見えます。正面、横、上とそれぞれ表情が異なり、楽しませてくれるデザインです。

横から見ると、尖ったラインが強調される。

デンファレをホリゾンタルオーバルでアレンジ。

花材 ＊ トルコキキョウ（紫） スプレーバラ（黄） アゲラタム（紫） ナルコユリ 玉シダ

花留め ＊ 吸水フォーム

ここが大事！

フォーカルポイントは中央に垂直に、アウトラインになる花は水平に挿し、しっかり形を決めます。どこから見てもきれいに見えるように、アレンジするときも真上から、横からと360度チェックしながら挿しましょう。

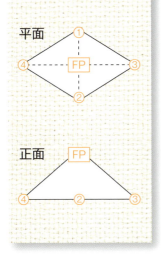

平面

正面

1 トルコキキョウ5本で高さ・幅・奥行きを挿す。

2 アウトラインと主軸ラインをトルコキキョウで挿す。

3 玉シダでアウトラインを挿し、スプレーバラを主軸ラインのトルコキキョウの間に挿す。

4 スプレーバラで中間ラインを挿し、その間にアゲラタムを。ナルコユリ、玉シダで空間を埋める。

ファン（扇）

全体が扇型になるアレンジで、華やかな雰囲気になります。空間は埋めすぎずに、軽やかな感じを残すのがポイントです。

1 高さ、幅、奥行き、フォーカルポイントの順にトルコキキョウでアウトラインを挿し、さらにファン型になるようにトルコキキョウを挿していく。

2 花器を後ろ向きにして、玉シダをファン型に挿し、バック処理をする。

3 前にまわして、空間をブバリア、キノブランで埋めていく。

ここが大事！ 高さ：幅＝0.7：1の長さで構成するとバランスがよい。また、吸水フォームに挿した茎の延長が1点に集中するように挿します。左右対称に挿すと仕上がりがきれいです。

花材 ＊ トルコキキョウ　ブバリア　キノブラン　玉シダ
花留め ＊ 吸水フォーム
花器 ＊ ガラス

パラレル（平行）

ヨーロッパでよく使われ、平行にラインをだすアレンジです。茎の美しさを見せるときには、余分な葉は落としラインを整えます。

春アレンジのp46で紹介したチューリップのパラレルアレンジです。チューリップの茎の動きを見せるためにこのアレンジにしました。

パラレルのキーポイント

茎を見せてスタイリッシュに活ける、花材選びとアレンジのポイントは…。
❶茎が真っ直ぐに伸びている。
❷花はあまり大きくなく、中程度の大きさのもの。
❸茎が平行であることを強調するため、上部が閉じられたようなラインを入れる。

Point 2 場所により アレンジを使い分ける

三方見

正面と両サイドの3方から見てきれいなアレンジをいい、壁や窓辺など背にするところがある場所に最適なアレンジです

茎を1点に集中させて放射線状に挿していくトライアンギュラーは三方見。

床の間や玄関など、後ろを見せない場所が最適。

このアレンジも三方見のアレンジ。

三方見のキーポイント

正面から見て、180度の展開になるように挿していくのがポイントで、後ろは平らにして正面にボリュームをもってきます。

四方見

テーブルの中央に置く場合など、四方から見てきれいなアレンジをいいます。ラウンドやホリゾンタルのアレンジがこれに匹敵します。

ラウンドのデザインは360度どこから見ても美しいアレンジ。

全体にドーム型が四方見の定義ですが、写真の平面アレンジも360度のアレンジになっています。

中央のバラを中心に円状に同じ花を挿していくスタイルのブーケ。

四方見のキーポイント

どこから見てもバランスが保たれていて、きれいに見えるのが四方見のポイントです。360度チェックしながらアレンジをします。

2 花を役割で分ける

花の特徴や形状によって花を4タイプに分けたのが、ラインフラワー、マスフラワー、フォームフラワー、フィラフラワーです。それぞれのタイプの特徴と役割を知って花を選ぶと、失敗のないアレンジができます。

Point 3 花の役割を知ると調和したアレンジになる

ラインフラワー
茎に花がつくもので、スーと伸びたタイプです。縦や横に伸びて線を強調する役割があります。
例：ストック・グラジオラス・デルフィニュームなど

マスフラワー
花弁が集まってひとつの花になっているもの。アレンジの空間を埋めていく役割の花で、塊で使うことが多いです。
例：バラ・カーネーション・菊・ガーベラなど

フォームフラワー
形がはっきりしている特徴のある花で、アレンジの中心的役割を演じたり、アクセントになる花です。
例：カサブランカ・カトレアなど

フィラフラワー
ひとつの茎から枝分かれした茎に、小花がたくさんつくタイプの花です。空間を埋めたり、全体にフワッとした印象にアレンジするとき使われます。
例：カスミソウ・スターチス・ブルーファンタジアなど

アレンジするときの手順がポイント

アレンジするときは花の役割を考えて挿していくとバランスのとれたアレンジになります。

❶ラインフラワーで高さや幅をだして、アウトラインを作ります。
❷フォームフラワーかマスフラワーから大きく形のよいものを選び、フォーカルポイントを挿します。
❸ラインフラワーで作られたアウトラインに沿って、マスフラワーかフォームフラワーで空間を埋めていきます。
❹ライン、マス、フォームフラワーをつなぐように、フィラフラワーで全体のバランスを見ながら隙間を埋めていきます。

1 ラインフラワーのグラジオラスで高さと右のラインをだす。左の幅はグラジオラスの花を1輪にして挿す。

2 マスフラワーのバラで奥行き、フォーカルポイントを挿す。右のポイントは、バラを短くして挿す。

3 上部の細いラインはラクスパーのラインを生かす。フォームフラワーのシンビジュームは右の面を構成するように挿す。

花材＊グラジオラス
　　　ラクスパー　バラ
　　　シンビジューム
　　　ワックスフラワー
　　　ヒペリカム
　　　レザーリーフファン
花留め＊吸水フォーム
花器＊陶器

ここが大事！
Lシェイプのアレンジです。L字の底辺のラインを揃えることがポイント。花同士の間隔は下の方は密に、花の大きさも下にいくに従い大きくなるようにアレンジします。

グラジオラス
ラクスパー
ヒペリカム
バラ
シンビジューム
ワックスフラワー　レザーリーフファン

4 フィラフラワーのワックスフラワー・ヒペリカムで空間を埋め、レザーファンは後ろの吸水フォームをカバーするように挿す。

3 グルーピングを活用する

グルーピングは色や花の個性を強調したいときに映えるテクニックです。色の場合はコントラストやグラデーションを楽しむ、花の種類の場合は花の個性を強調したいときに使います。また、花の自然な植生を生かしたアレンジをするときもグルーピングのテクニックを使います。

Point 4 グルーピングする目的をはっきりさせることが肝心

花材をグルーピング

花の種類でグルーピング。花の個性や特徴を強調します。

花の種類をグルーピングして、それぞれの花の形を強調します。(p84)

3対2にグルーピングして整然とした印象を与えます。(p41)

チューリップをグルーピングすることで、季節を強調します。(p44)

赤のアマリリスにインパクトを与えてクリスマスを強調します。(p77)

グルーピングのキーポイント

グルーピングの特徴を生かしてアレンジするには…。
❶ グルーピングしたときに花同士がくっつきすぎないように調整します。
❷ 花の大きさや光沢などを見て、グルーピングする花の分量を決めます。
❸ グルーピング自体が目立ちすぎないように。

色をグルーピング
色のインパクトが強くなることで、バラバラなイメージがなくなります。

紫のグラデーションがぼけないために、濃い紫をグルーピングしてアクセントに。(p58)

ライン上に同じ花の色を揃えて、アレンジのラインを強調します。(p13)

赤とオレンジをグルーピングして、まとまったイメージを与えます。(p93)

カーネーションの紫を強調して、クリスタルの花器をイメージアップします。(p105)

4 「葉物」を使いこなす

葉物と一言でいっても色も形もいろいろです。花と活けるなら、花の色を引き立てて全体をまとめる役目でしょう。葉物だけのアレンジでは形や色の違いを生かすと、個性的なアレンジになります。また、葉物の強みは、そのままの形で活けるだけでなく、丸めたり、垂らしたりとテクニックを使えることです。葉物だけでアレンジしてみましょう。

Point 5 色と形の違いを生かせば葉物だけで個性がでる

■ 形の面白さをアレンジ

タニワタリ / ドラセナ / アロカシア

ここが大事！
それぞれのグリーンの形を生かして、決めた位置に挿すためには、吸水フォームに挿す角度に気をつけます。

1 花器の右1／3に吸水フォームをセット。タニワタリのラインを生かして挿す。

2 足元にドラセナを、シロタエギクで吸水フォームをカバーする。

花材＊タニワタリ1枚　アロカシア1枚
　　　ドラセナ1枚　シロタエギク1本
花留め＊吸水フォーム
花器＊陶器

緑のグラデーションを楽しむ

リキュウソウ　玉シダ
シロタエギク
ナルコユリ
ゼラニューム
ハラン

花材＊ゼラニューム
　　　シロタエギク
　　　リキュウソウ
　　　ナルコユリ　玉シダ
　　　ハラン

ここが大事！

茎が短かったり、葉先が重い葉などを使う場合、吸水フォームや剣山では時間が経つと形が崩れることがありますが、束ねる方法ならしっかりとまとまります。

1 ハラン以外の花材は15cmから下の葉は整理する。ゼラニュームを中心にすべての花材をバランスよく束ねる。

2 ハランをループ状にして足元をグルードット（スミザーズオアシス）で留める。ハランでまわりを囲み結束する。

3 花器に収まる長さに切り揃え、ハランで包んで整える。

Point 6 葉物の役割とテクを知って上級アレンジ

役割 | 葉物の役割を知るとアレンジの幅がグーンと広がります。花を引き立てる脇役に、あるいは黒子のときもあります。役割を上げてみましょう。

1 ベースとして使う

吸水フォームや花器の縁が見えないようにカバーする役割で使います。

2 バック処理に

トライアンギュラーやファンのような三方見のデザインでは、バックは見えませんが、バック処理はきれいにが鉄則です。これも葉物の役割です。

3 花留めとして

花に自然な動きをつけたいとき、葉物を花留めに使います。丸めて花を挿す面を作ります。

4 高さをだす

凛としたイメージをだしたいとき、オクラレルカなどの細くてシャープな葉物を使います。

5 ラインをだす

ホリゾンタルのようなスタイルのときは、葉物でラインをだすとシャープなイメージがプラスされます。

6 動きをだす

ミスカンサスのような細い葉を使い、アレンジに動きを出します。手でしごいたり、ペンに巻きつけて丸めたりという工夫をします。

テクニック

グリーンはそのまま使う以外に、丸めたりしてフォルムを変えて使うことができます。アレンジをバラエティ豊かにします。

1 葉を輪っかにする

輪にするとボリュームがでるので、カバーするときによく使うテクニックです。
2つのテクニックを使うと葉物でリボンができます。

葉にヒダをつけてホチキスで留めます。輪にしてホチキスで留める。

2 葉を重ねる

ガラスの花器では葉を中に入れたアレンジがポピュラーです。

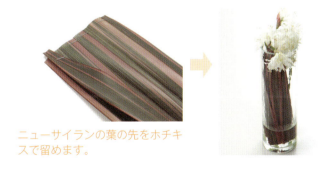

ニューサイランの葉の先をホチキスで留めます。

3 ヘアピンメソッド

葉の裏側、3分の1の長さのところに、ワイヤーをひと針すくうように通し、ワイヤー2本を束ねます。

つばきの葉にヘアピンメソッドをして、吸水フォームに挿す。

4 しごく

ミスカンサスのような細い葉で動きをだすときに使うテクニックです。柔らかい動きをだすには指で、それより強い動きの場合はハサミの刃の部分やペンを使います。

For Arrange
葉物図鑑

葉物の形状には細い葉、大きな葉、細かい葉などがあり、
また、色も濃淡のグリーン、シルバー、赤茶などバラエティに富んでいます。
それだけ選べる範囲が広いということです。よく登場する葉物を紹介しましょう。

タニワタリ
ウエーブが目を引き1本でも存在感のあるグリーン。黄緑に近いツヤのある色味もどんな花材にも合い、輪にしてカバーグリーンにも。

アロカシア
和名はクワズイモ。グリーンパラソルとも言われます。葉の美しい模様は個性的で、観葉植物としても栽培され、大胆なアレンジに最適。

ナルコユリ
葉先に入っている斑で、アレンジに使用すると緑一色より明るくなります。葉を生かすアレンジでは大きさを揃えるとよいでしょう。

ドラセナ
独特の赤い色が大人のアレンジに重宝されます。ラインとして使ったり1枚を輪にしてカバーグリーンにあるいは花器に貼ってもおもしろい。

シロタエギク
白い綿毛に覆われ全体が銀白色に見え、中間色やダークな色の花と一緒に使用するとおしゃれです。水揚げをしっかりしましょう。

玉シダ
アレンジの基本の形を作るときに欠かせない葉です。とてもしなやかなので、曲げたり、重ねたりして多様にアレンジに活躍します。

ゼラニウム
さまざまな色や模様に彩られ、その変化は花以上に多彩でカラフルです。葉にも香りがありストレスや神経を鎮める効果があるとか。

リキュウソウ
茎の上のほうがつるになっていて、固定したアレンジで動きがほしいときなどに重宝されます。茶花にもよく使われます。

ドラセナ(青)
明るい緑色のドラセナはカバーグリーンとして、ラインとして使い勝手のよいグリーン。青ドラとも呼ばれる。

ゴッドセフィアナ
ドラセナの仲間。グリーンの葉に広い範囲である黄色の斑点が特徴で、やがて白の斑点に変わります。カバーグリーンとして使われます。

リュウカデンドロン
実は葉物ではなく花なのです。南半球からの輸入花。赤茶色の色と南国の雰囲気で最近は個性的なアレンジによく使われます。

ミスカンサス
斑入りと斑なしがあります。直線を生かすもよし、しごいてカーブもつけやすく、アレンジに動きを出すときによく登場します。

形	細長い葉	大きい葉	細かい葉	つる状の葉
	ミスカンサスやオクラレルカなどラインの美しい葉は、高さや流れをつくるときに使われ、作品のアクセントになります。	モンステラやレッドダッチェスなどの大きな葉は主役として使われることも多く、モダンなアレンジになります。	レモンリーフなどは吸水性フォームをカバーしたり、アレンジ全体にボリュームを持たせるようなときに使われます。	Uピンや棒を使って垂れ下げたり、巻きつけたりして、作品のアクセント、スパイスとして使われることが多いです。

色	グリーン	シルバー	赤茶
	グリーンといってもライトグリーンからダークグリーンまであり、前者は明るい、後者は渋いアレンジに使われます。	シロタエギクのようなシルバーの葉はアレンジがシックになり、グリーンと使うとアクセントにもなります。	レッドダッチェスのような赤茶の葉は、アジア風アレンジやモダンなアレンジに使われ、独特の雰囲気を醸しだします。

レザーリーフファン
丈夫で水揚げもよく、他の花材との相性もよいため、カバーグリーンとしても面としてもよく使われます。葉全体は三角形をしています。

オクラレルカ
アヤメ科のアイリスの一種。ピンと伸びる勢いのある葉の形、鮮やかなグリーンを生かして、ふさわしいアレンジに使われます。

レモンリーフ
形がレモンに似ていることからこの名がつきました。色も形も使いやすいので、カバーグリーンとして、あるいはレインとしても活躍。

ゲイラックス
丸く可愛い形が好まれ、最近は置いてる花屋さんも多いようです。深い緑と赤褐色があり、丸めて面として、あるいはカバーグリーンしても使われます。

モンステラ
ユニークな形と大きさから、葉の裏を見せたり花器に入れたりと個性的なアレンジに登場します。果物と合わせても素敵なアレンジになります。

アイビー
長い状態で使っても、葉だけ使っても、また、ぐるぐる巻いたり、Uピンで留めたりと、いろいろな動きができる貴重なグリーンです。

レッドダッチェス
赤味がかった個性的な色と形から、主役としても使われる数少ないグリーンです。アジアの雰囲気にもシックなイメージにもアレンジが可能です。

テンモンドウ
食用アスパラガスの仲間で、葉に見えるのは枝が変化したもの。透けた感じが清涼感を呼びどんな花材にも合います。小さなとげに注意。

5 色とアレンジの関係を知る

色を「赤・黄・緑・青・紫」の5つに分け、さらにその中間を5つ設けて、基本色を10にし、それを円にしたのが「色相環」カラーサークルです。隣同士の色は「同系色」、カラーサークルの相対した色は「反対色（補色）」の関係です。同系色と反対色にあたる色同士の性質を知って、花材の色を選ぶようにすると、イメージに合ったアレンジができます。

色の持つ性質を知って花の色選びをする

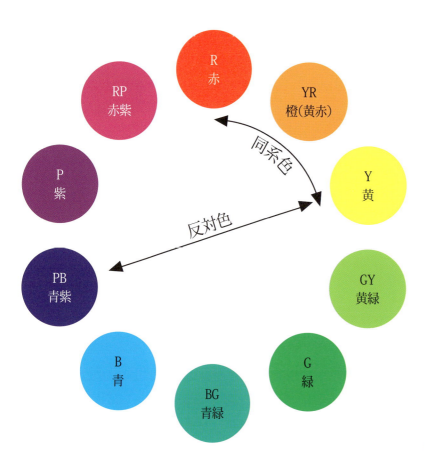

同系色

作品の印象をストレートに表現したいとき、色の持つ印象を活用します。
* **薄いピンク**→明るく優しいイメージ
* **黄色**→元気ではっきりしたイメージ
* **青**→爽やか、涼しげなイメージ
* **薄紫**→大人っぽいイメージ

反対色

青に赤、黄緑に紫といった反対色は、アレンジのインパクトを強くするときや、作品の中にポイントを作りたいときに使います。

ミックス色

いろいろな色をミックスさせたアレンジです。ごちゃごちゃにならないように、色の配置やポイントカラーを決めるといいでしょう。

色とアレンジの関係のキーポイント

色を上手に生かしてアレンジをするには…。
❶ブルーは爽やか、黄色は元気というように色が持つイメージに気をつけます。
❷花器の素材感や色との組み合わせを考えます。
❸アレンジに占める色の面積・強弱・リズムをチェックします。

同系色アレンジ

紫の同系色です。グリーンがポイントカラーになっています。

青、青紫の同系色のアレンジで白がポイントカラーになっています。(p58)

チョコレートコスモスと野イバラでシックな大人の色合いに。

反対色アレンジ

赤のバラと青のブルースターの反対色同士が、アレンジのインパクトを強くします。(p11)

トルコキキョウの紫とスプレーバラの黄色は反対色です。ホリゾンタルを形成する5つのラインが、反対色を使うことではっきりとわかります。(p13)

ミックス色アレンジ

1本高く活けたフリージャーと赤のチューリップをポイントに。(p39)

赤紫のトルコキキョウをポイントに、色をグルーピングで整理。(p106)

アイリスと白のアジサイがポイントカラーになっています。(p104)

6 白色の魅力を生かす

白を上手に使うと、アレンジの幅が広がり、失敗も少なくなります。まず、ハイライト的に入れると、全体がパキッとし、他の色も映えます。白だけのアレンジも、シンプルで気品が漂うアレンジになります。

Point 8 アクセントに白を使うと全体が引き締まる

白のみを使う
花の種類でグルーピング。花の個性や特徴を強調します。

グラジオラスの白で爽やかさをアピール。花と葉を別々に活けます。(p59)

花はネリネのみ。ニューサイランと合わせてネリネの白を強調。

花器をアピールするために白のみを選択。ヒヤシンスは花と茎は別々に活けます。(p40)

白を魅力的に生かすキーポイント

白を上手に使う場合のポイントは…。
❶白はあくまでもポイントとして使いますから、使いすぎないことが肝心。
❷白だけのアレンジではグリーンを効果的に使いましょう。
❸カスミソウなどの小花を加えると、花全体の色のトーンが優しくなります。

白をアクセントに

白をアクセントに使う場合は濃い色の近くや、色の間に入れていきます。

色のカーネーションを引き立てるために白を加えます。(p56)

薄いピンクを引き立て、パキッとさせるために白を入れます。(p92)

ラウンドを強調するためにバランスよく白を挿します。

同系色のガーベラを引き締めるために白を足元に配します。(p93)

ラナンキュラスの淡い色を引き立てるために白を挿します。(p38)

7 花器選びでアレンジの幅が広がる

花器と花材はパートナーで、よきパートナーになるにはまず、花器選びが重要になります。それだけに、花器選びを間違えるとアレンジも失敗作になりかねません。花器と花材、両方の特性を考えることが肝心です。

Point 9 花器の特性を知ってアレンジに生かす

花器と花の関係

素材、形、色を含めると、実にさまざまな花器があり、選ぶのが大変です。まず、花の種類と色がさまざまで、テーマがない場合はシンプルな花器を選ぶのが無難です。でも、ときには花器と遊んでみましょう。

1 細長い花器

横に長い花器は平面アレンジやパラレルで活けるとお洒落です。

2 逆三角形の花器

広い花口を生かして花を活けると、上級者の作品になります。

3 重厚な花器

重厚で主張のある花器は、花の色数を絞ってシンプルに活けます。

4 アンティーク風の花器

クリスマスの行事やアンティークが似合う場所に合う花器です。

5 ユニークな花器

例えば野で遊ぶ、とか、テーマがあるときはそのテーマに合った花器を選びます。

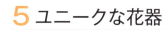

6 手付き花器

手付きの花器は手付きを生かしたアレンジをまず考えます。

7 籠の花器

籠は軽い感じがありますから、花も軽やかに活けるほうが引き立ちます。

8 ガラス

水と葉物を使ってガラスならではのアレンジを。また色付きの場合は、花の色を考えて。

食器を花器に

花器でないものが花器になる楽しさが、花アレンジにはあります。よく使われるのが食器で、いろいろと試して楽しんでください。

1 ワイングラス

一脚だけより数脚使うとワイングラスならではのアレンジになります。（p54）

2 ケーキ台

ガラス、陶製いずれでも低めのアレンジが映え、テーブルに飾るのもいいですね。（p101）

3 手付き食器

陶器が持つ格式は、お正月のアレンジに映えます。（p80）

4 重箱

重箱の中に、例えば誕生日なら花で年齢を描くなど、様々なテーマが花で描けます。（p84）

5 酒器

徳利とお猪口に花を1輪挿すだけでも、酒器が花器の顔になります。

食器を花器に使うキーポイント

食器を花器に使う場合の注意点です。
① 漆器など水に弱い素材もあるので気をつけて。
② 水もれがないように、セロファンを敷くなどの気配りを。
③ まれに毒草といわれる葉や花があるので使用後は洗浄を。

花器を作る

花をプレゼントするときに役立つ手作り花器を紹介しましょう。
使い捨てのコーヒーカップや牛乳パックが変身します。

■ コーヒーカップで作る

使い棄てのコーヒーカップをブーケの土台に。
花が長持ちします。

1 カップの底に割り箸が刺さるぐらいの穴をあける。水を吸わせた吸水フォームをセット。

2 穴に割り箸の1／3ぐらいを差し込む。割り箸とカップを持ちながら、花をカップに挿していく。

3 ペーパーでカップを隠し、またこれが飾りになるようにカップを包む。

ここが大事！ 花が同系色のアレンジですから、飾るペーパーも同系色でまとめます。

■ 牛乳パックで作る

牛乳パックは、水を入れることができない花器に使ったりと、結構重宝です。

■ ペットボトルで作る

ペットボトルをカットして吸水フォームをセットし、好きな布で飾ります。(p73参照)

1 牛乳パックの底の部分を10cmぐらい切り、吸水フォームをセット。このとき、パックの口より低くセットすること。

2 パックをペーパーとリボンで飾り、花を挿していく。

Q&A

アレンジテクニックについてお答えします。

Q1 お客さまを招くので花をテーブルに飾ろうかと思います。アレンジするうえの注意点を教えてください。

A テーブルに置く花のアレンジでは、どこから見ても大丈夫なように四方見（p15参照）のアレンジが最適です。花選びでは、気をつけたいことが2点あります。まず、花粉のある花、花や葉が落ちやすい花材は避けましょう。さらに、香りの強い花材もタブーです。テーブルの広さも考慮を。お客さまが喜んでくれるアレンジにするためには、テーブルクロスの色や料理なども考慮して花材を選び、アレンジを考えるといいですね。

Q2 黄色の花が好きなのですが、他の色を合わるならどんな色が合いますか。

A 黄色はそれだけで強い印象のアレンジになりますが、反対色の青紫やブルーを挿し色にすると、洗練されたアレンジに。逆に、黄色をポイントカラーとして使うなら、紫一色より紫からブルーのグラデーションにするほうが、黄色が引き立つでしょう。また、黄色とオレンジに、グリーンを少し利かせた取り合わせは、元気がでるビタミンカラーといわれます。

Q3 高さがあるガラスの花器をいただいたのですが、花器を生かしたアレンジを教えてください。

A ガラス製で背の高い花器を生かすには、花器の中にも花材をアレンジしましょう。例えばアイビーを花器の中に挿し、花は季節の花をアレンジするという具合に。水は花材の下部が浸かるぐらいの少量で大丈夫。少ない花材で愉しめるアレンジです。また、少し口が広い花器では、グリーンでオアシスをカバーして入れるというテクも活用してください。

春夏秋冬の
アレンジ40

- 春の息吹をアレンジ
- 夏の躍動感をアレンジ
- 秋の趣をアレンジ
- 冬の行事をアレンジ
- 1年の喜びをアレンジ

＊花を春夏秋冬に分けてアレンジを紹介していますが、季節が早まっている傾向にあり、また、年間を通して販売されている花もあります。

「春」の息吹をアレンジ

待ち望んでいた春は花たちが教えてくれます。
食卓に玄関に、明るく優しい色の花たちが
春を運んでくれます。
アレンジもそんな春の花たちに
活躍してもらいましょう。
パステル色の明るいアレンジがいいですね。

Point For Arrange

1. 春らしいパステルカラーのイメージを取り入れて。キュート、カラフル、優しい…。

2. 春を喜ぶ花たちの声が聞こえてきそうな自然を大切にアレンジ。

3. 球根が出回る季節です。球根を見せるアレンジも楽しい。

4. 色数、花数を絞り、花器とのコラボを考えたアレンジにも挑戦をしてみましょう。

For Arrange
3・4月
春の花図鑑

チューリップ

品種も色もバラエティ豊かな花材です。花の向きがなかなか定まらないので、葉と花は別々に挿し、動きを生かしてアレンジを。主役の花材ですが、脇役としてのアレンジも。

こでまり

バラ科で開花期は4月〜5月。小さな花が手まりのように集まって咲くところからこの名が。弓状に垂れる枝は曲げることもでき、そんな自然の姿をアレンジに生かして。

スイートピー

ひらひらとした薄い花びらにパステルカラー、春を代表する花材です。ピンク、紫と色も豊富。花びらがグラデーションになっているので、1色のアレンジも素敵です。

ラナンキュラス

色が豊富で鮮やか。花びらが重なって重いうえに、茎が空洞のため折れやすい。茎に別の茎やワイヤーを入れて強化してアレンジを。自由に曲げを楽しむこともできます。

マーガレット

3月〜7月が開花期。清楚で優しい印象から、白のマーガレットは春のアレンジに活躍します。他の花材の色を目立たせるための挿し色としてもよく使われます。

菜の花

3月の桃の節句では桃の花とともに飾られ、食用としても人気です。葉を思い切って整理。花と茎が際立ってきます。花には明るい方を向く性質があります。

フリージア

「もうじき春ですよ」と教えてくれる鮮やかな黄色が印象的。甘い香りも特徴です。葉と花を別々にしてアレンジすることが多く、ポイントとして使います。

ヒヤシンス

ヒアシンスともいい、ギリシャ神話の美少年の名前とか。花と葉を別々に使い、また、花のボリュームに対して茎が短く弱いので、傾けてアレンジをすることが多いです。

桜

毎年開花時期が話題になり、薄い桜色の花は落ちやすく、短い時期を楽しむということが人気につながるのかもしれません。季節の主役です。大胆にアレンジしてみましょう。

ムスカリ

ブドウの房のような形状と青紫の色が印象的なムスカリは球根植物で、開花時期は3月〜4月です。小さな花材ですが、束ねて使うと形状と色で目を引くアレンジになります。

春の喜びを表現

Point 10
ミックスされた色に「白」を添えて、エレガントに統一感をだす

黄色や赤のラナンキュラスにマーガレットの白、花器も白を選び、エレガントにまとめます。白を上手に使う一例です。

How to Arrange
▶p48
全体の形が三角形になるように、バランスを見て花を挿します。

Spring

How to Arrange
▶p48
多色の花を活ける場合は、ポイントカラーの花を決めるときれいに仕上がります。

Point 11 カラフルキュート！スプリングガーデン風にアレンジ

フリージア、スイートピー、ラナンキュラスなど春の花を、今、庭から摘み取ってきたようにアレンジします。

花器が主役

Point 12
ハランを花留めに使い、ヒヤシンスの動きをだすのがポイント

花材＊ヒヤシンス10本
　　　ハラン3枚
花留め＊ハラン
花器＊ガラス

大好きな花器を生かすために、花は白のヒヤシンス1種で活けました。

ここが大事！
上に伸びて咲くヒヤシンスを、花器を生かしてあえて寝かして活けます。

1 ハランを巻いて花器の中に入れる。ヒヤシンスを挿すことを考えて、3枚のハランの位置を決める。

2 ヒヤシンスの茎をまず活ける。花を挿す位置を考えて手前は空け、後方が高めになるように挿す。

3 まず3本の花を三角形になるように挿し、後は空間に入れていく。花器から溢れるように挿すのがポイント。

Point 13 花模様の器を生かして置物のように活ける

花器の花模様を繰り返すようなデザインで、色数は控えて花材を選びます。

1 吸水フォームを花器の3分の1ぐらいにセット。ラナンキュラスは3本と2本に分けて、同じ高さにならないように変化をつけて挿す。

2 シロタエギクの葉を空間に挿す。3本と2本の花のまわりから挿していくとバランスをとりやすい。

3 コワニーを花器からはみだすように挿すことで、花器とのコントラストを楽しむ。

花材 ＊ ラナンキュラス5本
　　　　シロタエギク3本
　　　　コワニー5本
花留め ＊ 吸水フォーム
花器 ＊ 陶器

ここが大事！
白い花を加えることで、花器やラナンキュラスの色が映えます。

花器が主役

花も色も限定する ドミナント配色は イメージをより強くする

ハート型のピンクの花器を生かした、愛らしさが強調されるアレンジ。バレンタインにおすすめです。

花材＊スイートピー5〜6本
花留め＊吸水フォーム
花器＊ハート型陶器

1 花器に吸水フォームをセット。ハートの花器に沿ってスイートピーを寝かせるようにして刺していく。

2 ハートのくびれ部分を強調するように、アウトラインは崩さないように、空間を埋めていく。

ここが大事！
ハート型の器のハートのラインを、スイートピーで繰り返します。中心部をふっくらと優しく仕上げます。

自然をアレンジ

Point 15 球根をあえて見せて、春の野原をイメージする

ムスカリの球根に春の草花、花器も自然風を選び、お部屋に春の野原の息吹を。
お雛様のピックをつけると雛祭りのアレンジになります。

1 吸水フォームをセットし、水苔で吸水フォームのまわりを囲む。

2 ワイヤー（#20）でUピンをつくる。ムスカリの球根にUピンを通して、吸水フォームに固定する。

3 ムスカリを中心に菜の花や桜などを寄せ植え風にアレンジ。旅先で見つけたさるぼぼを遊ばせる。

花材＊ムスカリ根付3本
　　　菜の花1本
　　　リキュウソウ2本
　　　ハートカズラ2本
　　　桜1本
花留め＊吸水フォーム
　　　　水苔
花器＊土素材

ここが大事！
ムスカリの球根をあえて見せることで、自然を強調します。

桜　ムスカリ　ハートカズラ
菜の花　リキュウソウ

春をプレゼント

Point 16
タジマジスタイルでアレンジ。バランスよく仕上がる

多くの種類や色の花を使うブーケでは、
花の種類ごとに層に分けてアレンジすると失敗なくまとまります。

How to Arrange
▶p49
ブーケでは花を組んでいくとき、斜めに配置するとバランスがいい。

ここが大事!
色を合わせるとき、ポイントカラーがあると引き立ちます。

1 約15cmに切る。チューリップを中心に、後ろにストック、スイートピーを長く、チューリップの下にもスイートピーを配置。

2 茎の長さを整える。キッチンペーパーを巻いて水に浸し、ラップを巻いて保水処理を。ラッピングペーパーで包んだらリボンを結んで仕上げる。

Point 17 長く保つコツは保水処理

花材＊チューリップ2本
スプレー型ストック1枝
スイートピー1本
ゲーラック1枝

コサージュにもなるミニブーケです。
長い時間きれいを保つためにリボンで隠して保水処理を忘れずに。

チューリップを主役・脇役に

Point 18 チューリップが
庭に植えられている雰囲気を
パラレルのスタイルで表現

チューリップの自然な姿を大切にするアレンジで、
曲がったりする動きも楽しみましょう。

How to Arrange

▶p49
パラレルのアレンジで、チューリップの自然な姿を楽しみます。

Point 19 桜とチューリップの2大スターの競演。枝物を主役にするほうが映えるアレンジになる

主役が多いチューリップですが、脇役のアレンジをしてみました。主役の桜が一層華やかに映ります。

花材 ＊ 桜3本
　　　　チューリップ10本
花留め ＊ 吸水フォーム
花器 ＊ 陶器

コツ

1 桜の枝は内側に向け、中心に空間ができるように挿す。長さは器の約1.5倍が見栄えがいい。

2 チューリップは葉を取っておく。左右のバランスを変えて、桜の間に挿す。

ここが大事！
吸水フォームは器の半分ぐらいにセットします。このバランスが足元のすっきりした作品に仕上げるポイントです。

How to Arrange
ハウ トゥ アレンジ

春の喜びを表現

Point 10 ミックスされた色に「白」を添えて、エレガントに統一感をだす

- ラナンキュラス
- マーガレット

花材＊ラナンキュラス
（赤・黄色・ピンク）10本
マーガレット5本
花留め＊吸水フォーム
花器＊白の陶製

1 中心になる3本のラナンキュラスを三角形になるように、高さも違えて挿す。

2 マーガレットの葉を花器の縁を隠すように入れる。花は角度をつけながら、ラナンキュラスの間に挿していく。

3 残りのラナンキュラスを全体の形が三角形になるように、手前と左右に花器からこぼれるように挿す。

ここが大事！ 必ず後ろ側にも花を挿すように。アレンジにボリューム感、奥行き感がでます。多色の花を使う場合は全体の色合いも考えながら活けましょう。

春の喜びを表現

Point 11 カラフルキュート！ スプリングガーデン風にアレンジ

- フリージア
- スイートピー
- スプレー型ストック
- ラナンキュラス
- 黄金ヒバ
- ピトスポラム
- アスチルベ
- チューリップ

花材＊フリージア3本　スイートピー2本
ラナンキュラス2本　チューリップ2本
スプレー型ストック1本　アスチルベ3本
黄金ヒバ適量　ピトスポラム適量
花留め＊吸水フォーム
花器＊ブリキの花器

1 吸水フォームをセットする。これを隠すように、黄金ヒバを左右に2本挿す。チューリップ、ラナンキュラスでポイントを決める。

2 高さと動きがでるようにフリージアとストックを挿し、次にスイートピーとアスチルベを花器からあふれるように挿す。

ここが大事！ 必ず後ろ側にも花を挿すように。アレンジにボリューム感、奥行き感がでます。多色の花を使う場合は全体の色合いも考えながら活けましょう。

春をプレゼント

Point 16 タジマジスタイルでアレンジ。バランスよく仕上がる

スプレーストック　マーガレット
スイートピー
アスチルベ
グラス
チューリップ

花材 ＊チューリップ10本
　　　　マーガレット5本
　　　　スイートピー3本
　　　　スプレーストック1本
　　　　アスチルベ5本
　　　　シロタエギク3本
　　　　グラス10本
花留め ＊ヒモ
資材 ＊ペーパー　リボン

1 チューリップは葉を取り、マーガレット、スプレーストック、アスチルベは小枝に分け、約10cmから下にある枝や葉は取る。

2 チューリップ5本とシロタエギク2本を先端から約10cmのところで結束する。

3 結束した結束点をずらさないように、花の層をつくるように、種類の同じ花を同心円に配置していく。右利きの人は反時計回りに、左利きの人は時計回りに配置するとやりやすい。

ここが大事！ 層に添って花を組んでいくときに、できるだけ斜めに配置するとブーケらしいきれいなバランスになります。

チューリップを主役に脇役に

Point 18 チューリップが庭に植えられている雰囲気をパラレルのスタイルで表現

ミスカンサス　チューリップ
ピトスポラム　こでまり

花材 ＊チューリップ5本
　　　　こでまり1本
　　　　ミスカンサス5本
　　　　ピトスポラム適宜
花留め ＊吸水フォーム
花器 ＊水盤

1 花器に吸水フォームをセット。5本のチューリップを3：2の割合で、地面から垂直に挿す。

2 こでまりは枝を交差させて平行になるように挿す。その際、花が表になるように流れを作る。

3 足元にピトスポラムを短く挿す。ミスカンサスをこでまりの間に、風が流れるように配置する。

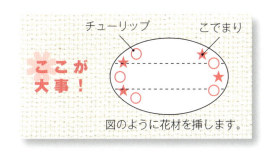

ここが大事！ 図のように花材を挿します。

「夏」の躍動感をアレンジ

「涼しげ」「灼熱の太陽」と相反する
2つのイメージがある夏。
ヒマワリは灼熱の太陽、グラジオラスは涼やかに…。
アイデアを生かせるのが、夏のアレンジの
愉しみのひとつです。思い切り大胆な
アレンジをしてみてください。

Point For Arrange

1. 夏の高原？、夏の海？楽しい想像をめぐらして。

2. 涼しげなアレンジなら、ガラスの花器を大いに活用して、また、花の色や形にも留意しましょう。

3. 例えばトルコキキョウなど暑さに強い花を選びます。

4. 水替えに気をつけてください。花のお水が傷みやすい季節です。

For Arrange
5〜8月
夏の花図鑑

スカビオサ

茎に比べて花首が重く、向きがくるくると回ってしまうことがありますが、その動きを生かして飾ると素敵です。茎からのラインも綺麗でラインフラワーにも。

アイリス

花菖蒲の仲間で春からの花ですが、今回は五月のお節句にアレンジ。主役の花として活躍。茎と葉を一緒に高さをだすラインフラワーにも。花はフォームフラワーに。

ヒマワリ

鮮やかな黄色が夏のイメージの代表選手に。ヒマワリだけでのアレンジも素敵です。花の水揚げはよいのですが、葉が傷みやすいのでアレンジに支障がなければ取ります。

グラジオラス

華やかさを演出するのに欠かせない花材。花が重いので倒れることがあり、投げ入れの場合はあらかじめ水を入れておきます。一本を何本かに切り分けて使ってもきれいです。

カラー

5月、6月が旬のカラーはウエディングにもよく使われます。茎が長く、スタイリッシュなアレンジに欠かせません。背の高い花器の中に入れても素敵なアレンジに。

スプレーカーネーション

枝分かれして可愛い花をたくさんつけるカーネーションは色も豊富で、他の花と組み合わせてアレンジするのに重宝する花です。枝分けをして使います。

カーネーション

赤やピンクのイメージが強かった花ですが、最近はシックな色やダークな色など、バリエーションが増えています。幅広くアレンジメントに活用できます。

デルフィニウム

一重咲きと八重咲きとあり、夏にはブルーがきれいです。ステムを長く使うとラインフラワーに、アレンジによってフォームフラワーにもマスフラワーにもなる花材です。

トルコキキョウ

種類が多くアレンジが楽しめます。一本で使うときには、つぼみやつぼみが膨らんだ姿も可愛いので、咲いた花と一緒にアレンジしてください。花首が弱いので気をつけて。

アジサイ

切花としても多くの品種が生まれ、色、形のバリエーションが増えて、アレンジにもポピュラーな花になりました。ただ、水揚げが悪いので、扱いに気をつけて。

「五月の節句」

Point 20
節句飾りのそばに
飾るのにふさわしく
シンプル、おしゃれにアレンジ

アイリスは花菖蒲や杜若(かきつばた)と同族。
フランス王室の紋章にも
なっています。
アイリスが水に漂うイメージを
プラスしたアレンジです。

1 吸水フォームは花器の口から約5cm低くセット。オクラレルカを、花器の高さの1.5倍ぐらいの高さに挿す。

2 アイリスは花器の高さより少し高く、2本目は2／3ぐらいの高さに挿すとバランスがいい。足元のアイリスを挿す。

ここが大事！
足元のアイリスは水をイメージしています。花が少し花器からのぞく高さに、花の向きを考えながら挿しましょう。

花材＊アイリス5本　オクラレルカ2本
花留め＊吸水フォーム
花器＊陶器

アジサイを活ける

Point 21
白のアジサイに グリーンのみを合わせ 和モダンにアレンジ

凛とした雰囲気を感じる
白のアジサイ。
白を生かすために
葉物のみを合わせ、
枝の曲線で
動きをだしました。

How to Arrange
▶p60
直線と曲線、アジサイの葉のバランスがポイントです。

ヒマワリで夏をアレンジ

Point 22　存在感があるのに可愛い、ヒマワリの特徴を生かしたアレンジ

小さめのヒマワリとグラス。グラスの数と置き方を変えれば、
玄関でもテーブルでも場所を選ばずに愉しめるアレンジです。

花材＊ヒマワリ6本
　　　ミスカンサス適宜
花器＊グラス

1 ヒマワリの茎は、葉を残して短くカット。ヒマワリのガクまでが浸かる程度の水をグラスに入れる。

2 ミスカンサスの葉の裏を伸ばすように、指先でつまんでしごく。涼風にたとえ、風が流れるようにデザイン。

ここが大事！

ミスカンサスは乾燥しても色はあせないので、自由にアレンジを。ヒマワリは、ガクや花びらが水に濡れると傷みやすいので注意をしましょう。

Summer

How to Arrange
▶p60
ヒマワリは花びらが枯れてきたら取り去って、ヒマワリの違う顔を楽しみましょう。

Point 23　枝をコーディネートして、夏山をテーブルで楽しむ

ヒマワリが高原に咲いていたら…。
そんなことを考え、自然を強調したアレンジです。
花器も白樺の皮がデコレートされたものを選びました。

「母の日」

Point 24 カーネーションだけでブーケ。ハランのリボンがポイント

カーネーションの色と大きさで変化をつけ、
ハランで大きなリボンを作ってブーケに仕立てたアレンジです。

How to Arrange
▶p61
カーネーションの色味の
バランスを考えて挿しま
しょう。

爽やかに

Point 25
爽やかな初夏の野をスミレで表現。スミレの香りに包まれる

園芸の品種で香りのするスミレが市販されています。野で摘んできたスミレをイメージしたアレンジです。

1 ドラゴンヤナギを折れないように曲げて、リースを2個作る。

2 2個を花器の中で組み合わせて、花留めとする。ヤナギなので見えてもおかしくない。

3 スミレを風を感じるように活け、ユメホタルをスミレの間で遊んでいるように挿していく。

花材 ＊ スミレ10〜15本
　　　　ユメホタル5本
　　　　ドラゴンヤナギ1本
花留め ＊ ドラゴンヤナギ
花器 ＊ ガラス

ここが大事！
はじめに挿す数本のスミレは1箇所で交わるように挿すと、後から挿す花が思うところに留まりやすくなります。

57

爽やかに

Point 26 白とパープル、レースフラワーが涼やかな夏をイメージ

パープルとブルーの同系色に白の花をコーディネート。
白の花がアクセントになるアレンジです。

How to Arrange

▶p61
レースフラワーを少し高く挿すことで、爽やかさが強調されます。

Point 27 ラインの花グラジオラスを マスで使い、 白を強調して夏アレンジに

スマートなグラジオラスはラインの花ですが、
花を強調してマスで活けてみました。

1 吸水フォームを花器にセット。グラジオラス1本を、2箇所にハサミをいれて3輪にし、センターに1本挿す。

2 1輪を中心に取り囲むように3輪を挿す。このときのグラジオラスは花だけのものを選ぶ。

3 葉がついたグラジオラスとカーネーション、シロタエギクを空間に挿していく。

花材＊グラジオラス2本
　　　スプレーカーネーション
　　　（白）1本
　　　シロタエギク3本
花留め＊吸水フォーム
花器＊陶器

ここが大事！
グラジオラス1本を切り分けるときは、花だけと葉つきを考えて切るようにしましょう。

How to Arrange
ハウ トゥ アレンジ

アジサイを活ける

Point 21　白のアジサイにグリーンのみを合わせ和モダンにアレンジ

オクラレルカ
ドラゴンヤナギ
ドラセナ
アジサイ

花材＊オクラレルカ2本
　　　アジサイ1本
　　　ドラゴンヤナギ1本
　　　ドラセナ1本
花器＊陶器

1 オクラレルカは花器の約2倍の高さに挿し、凛とした雰囲気をだす。

2 ドラセナ2枚を左側とオクラレルカの後ろに挿し、奥行きを演出。　コツ

3 アジサイを花器の口元に低く挿し、アジサイの葉を花の手前に入れる。

ここが大事！ アジサイは水揚げが悪い花の代表です。茎の中の白いものを取り去るか、根元を焼く焼揚げをしてから使うといいでしょう。

ヒマワリで夏をアレンジ

Point 23　枝をコーディネートして、夏山をテーブルで楽しむ

ヒマワリ
苔

花材＊ヒマワリ7本
　　　枝数本　苔適宜
花留め＊吸水フォーム
花器＊ブリキ

1 吸水フォームを4〜5cm、花器の口からだしてセット。でたところは丸くなるようにカットし、苔をのせる。

2 枝の先は斜めにカットしておく。左右それぞれ、花器の直径の長さより少し長く挿す。　コツ

3 ヒマワリを中央に1本挿し、高低をつけて挿していく。吸水フォームに挿す長さを4cm以上にすると花持ちがいい。

ここが大事！ 苔に霧吹きで水を与えると長持ちします。ヒマワリは花びらがしおれたら取ってしまっても楽しめます。

「母の日」

Point 24　カーネーションだけでブーケ。ハランでリボンを作るのがポイント

スプレーカーネーション
カーネーション
ハラン　ゴッドセフィアナ

1 吸水フォームを花器の口から3cmぐらい低くセット。ゴッドセフィアナを吸水フォームをカバーするように挿す。

コツ

2 高さを決めるカーネーション1本は中心に、4本はアウトラインに挿す。

3 他のカーネーションを5本のカーネーションの間にファン型になるように挿していく。

花材＊カーネーション7本
　　　スプレーカーネーション3本
　　　ハラン4枚　ゴッドセフィアナ2〜3本
花留め＊吸水フォーム
花器＊陶器

ここが大事！ ハランでリボンを作ります。2枚はループ状にしてホチキスで留め、2枚は葉元を後ろに折ってホチキスで留めます。

爽やかに

Point 26　白とパープル、レースフラワーが涼やかな夏をイメージ

スプレーカーネーション（白）
リューカデンドロン　レースフラワー
デルフィニューム
ブルースター
ブルーレースフラワー

コツ

1 デルフィニュームを中央に1本、底辺に同じ間隔で6本挿す。

2 ブルースターを上から見て正三角形になるように挿し、底辺に近い場所にカーネーションを挿す。

3 グリーンと残りの花をラウンドになるように、バランスを見て挿し、最後にレースフラワーを他の花より高く挿す。

花材＊デルフィニューム1本　ブルースター3本
　　　レースフラワー5本　スプレーカーネーション（白）1本
　　　リューカデンドロン1本　ブルーレースフラワー3本
花留め＊吸水フォーム
花器＊ガラス

ここが大事！ 黄色のリューカデンドロンと白のレースフラワーの色がアクセントになるように挿す場所を考えましょう。

61

「秋」の趣をアレンジ

緑が爽やかで明るい夏から一転して、
実りの秋を象徴する色は、
渋い赤や黄色。趣のあるシックな色合いです。
お月見や菊の節句、サンクスギビングデーや
ハロウインと行事もいろいろ。
秋の趣ある風情を大切にアレンジしましょう。

Point For Arrange

1. 秋の花もシックな色合いで風情を演出します。

2. リンドウやススキなど日本の秋をモダンにアレンジしてみましょう。

3. 葉やつぼみの処理を上手に行い、すっきりしたアレンジを。

4. 収穫祭にちなんで、果物なども加えたアレンジに挑戦してみましょう。

For Arrange
9〜11月

秋の花図鑑

ダリア
夏から秋に咲きますが暑さに弱い花です。色と品種の多さではチューリップやバラと並び、秋のアレンジではダークな色がおすすめ。1本でも主役になる花です。

リンドウ
秋の高原を思い起こしてしまいます。他の花材と合わせるなら短く切って使うことも。丈夫で、水を好みますから水替えは頻繁に。終わった花は取るようにすると持ちます。

ススキ
秋の七草のひとつで、秋のアレンジには欠かせない、籠が似合う花材です。ススキは葉と穂の部分を別々に扱い、穂でスッとした高さを、葉で動きをだします。

コスモス
秋の代表的な花です。色や形から可憐、優しいというイメージが強いですが、チョコレート色のコスモスもあり、こちらはシックで個性的なアレンジになります。

ケイトウ
赤、黄色、桃色の花穂があるケイトウは鶏のトサカに似ていることからこの名が。「元気で長生き」の花言葉があり、9月の敬老の日のアレンジに使われます。

スプレーマムフェリーPON
丸くて可愛い形から、葉は取り去り、グルーピングしてアレンジにはよく使われる花材です。白、緑、黄色など8色あります。開花時期は6月〜12月、2〜3週間は持ちます。

菊
9月の重陽の節句が別名菊の節句といわれることからか、秋の花に思われています。仏花のイメージが強いのですが、洋にアレンジするなどもっと楽しんでください。

マリーゴールド
6月〜11月に出回るキク科の花で、名前の意味は「聖母マリアの黄金の花」。黄色やオレンジの鮮やかな色と、ボリュームのある花で、少ない数でも華やかなアレンジに。

野イバラの実
芳香のある白い花は5月〜6月に咲き、秋には赤い実がなり、秋の野山でよく見かけるバラ科の花材です。秋の花との組み合わせに映え、重宝する花材です。

ダリアを主役に

Point 28
秋の実物、枝物を脇役に秋の風景をアレンジ

ゴージャスなダリアの花に、
モミジ、野イバラの実をあしらって、
和洋どちらにも合うアレンジ

How to Arrange
▶p72
飾る場所により、野イバラの高さを考えます。

How to Arrange
▶p72
ダリアを高く活けて、凛としたスタイルを演出。

チョコレートコスモス、
野イバラ、そしてダリアと、
すべてダークな秋色で統一。

Point 29 チョコレートコスモスを選んで秋のシックなイメージを強調

「お月見」を活ける

Point 30
ススキを主役に立体的に活けるには、ススキの長さと穂の向きがポイント

秋の野をススキとリンドウで表現します。花器は手付きの竹籠。
軽やかなイメージがある籠に活けるときは、
花が重たくならないように気をつけましょう。

花材＊ススキ（オバナ）5本
　　　リンドウ2本
花留め＊吸水フォーム
花器＊手付き竹籠

1 竹籠に吸水フォームをセット。リンドウ3本は、花首が籠の口にのるように挿す。

2 ススキは葉を取っておく。中心にススキを1本一番長く挿す。長さは竹籠の手先までの長さの約2倍に。

3 ススキの2本目は1本目より少し後ろに、残り3本は籠の手より前に挿す。ススキの葉を挿す。

ここが大事！
竹籠には軽やかなイメージがあるので、花が全体に重くならないように、分量や空間あしらいを考えるのがポイント。

小さな秋を見つけました

リンドウが秋を伝えます

　リンドウとバーゼリアはそれぞれグルーピングしてまとめて挿します。ベロベロネはリンドウを挿した高さの約1.5〜2倍の長さで挿すとバランスよく仕上がります。

秋の風物詩を集めました

　リンドウ、モミジ、そして柿。どれも特別に求めたものでなく、余ったもので秋を表現した小品。玄関などに飾ると映えるでしょう。

コーナーに飾る

玄関に飾る

菊を楽しむ

Point 31 馴染みの花は手作り花器で斬新アレンジ

お花屋さんでは常連の菊ですが、人気はいまひとつ。そんな花は花器を工夫したり、種類を集めて魅力を引きだしてみましょう。

How to Arrange
▶p73
色のポイントがない菊の場合は、色のポイントがある花器を選ぶとぼけません。

Point 32　小菊の特性を生かして1本でバランスよくアレンジ

1本の小菊を3等分して3段に活けます。花器はある程度、主張のあるものがいいでしょう。手付き陶器の食器を選びました。

花材＊小菊1本
　　　ゼラニウムの葉5〜6枚
花留め＊吸水フォーム
花器＊陶器の手付き食器

ここが大事！
菊の茎を見て、菊の流れを生かすようにアレンジを考えます。

1 1本の小菊から、アレンジに合わせて3本に分ける。一番長いのは下の枝から、残り2本は花が集合しているところを選ぶ。

2 ゼラニウムの葉で吸水フォームをカバー。不等辺三角形に挿す。ゼラニウムの代わりに小菊の葉でもOK。

3 一番長く活ける小菊は花や葉が密集していないほうがすっきり仕上がる。残り2本は少し前にでるように挿す。

69

「ハロウィン」

Point 33 収穫祭を黄色、オレンジ、赤、茶色の実りの秋色で表現

10月31日のハロウィンといえば、
カボチャのランタンが象徴的な収穫を祝うお祭りです。
果物やカボチャも使って、秋色でアレンジをしてみましょう。

How to Arrange
▶p73
花器は見えないぐらいに
収穫を強調するアレンジ
がふさわしい。

「サンクスギビングデー」 *Autumn*

Point 34 グルーピングで収穫の感謝をアレンジ

アメリカのサンクスギビングデー（11月第4木曜日）は収穫への感謝祭。
収穫物や秋の花々で黄色から茶褐色のフォールカラー（秋色）でまとめます。

1 可愛いリンゴを中心に、同系色のシキミア、ドラセナの葉で囲んでシックにアレンジ。アイビーを挿す。

2 補色のピンクのケイトウを合わせて秋色のマリーゴールドと華やかに。

3 赤のケイトウにリンゴ、野イバラの実を合わせて、アイビーの明るいグリーンで、赤を引き立てる。

花材 ＊マリーゴールド1本
ケイトウ3本
野イバラの実1本
シキミア、ドラセナ、
アイビー適宜
姫リンゴ5個

花留め ＊吸水フォーム

花器 ＊ブリキスクエア

ここが大事！

それぞれに個性を持たせた、3つの独立したアレンジですが、まとまれば一つのアレンジメントに。それぞれをラッピングすれば、プレゼントになります。

How to Arrange
ハウ トゥ アレンジ

ダリアを主役に

Point 28 秋の実物、枝物を脇役に秋の風景をアレンジ

花材＊ダリア2本
　　　野イバラの実1本
　　　モミジ1枝　ドラセナ1本
　　　木イチゴ1本
花留め＊吸水フォーム
花器＊陶器

1 木イチゴの葉とドラセナで吸水フォームをカバーする。ダリアを2本、少しずらして挿す。

2 モミジの枝を3本ぐらいに分けてカットし、重ねるように挿していく。重ねることで、モミジが大木に見える。

3 モミジの枝の間に野イバラの実を挿して、奥行き感を演出する。

ここが大事！ 置く場所でダリアをアレンジします。高いほうが映える場所なら、野イバラの実をダリアの間に高く挿します。

ダリアが主役

Point 29 チョコレートコスモスを選んで、秋のシックなイメージを強調

花材＊ダリア1本
　　　チョコレートコスモス10本
　　　野イバラ1本
　　　ドラセナ、シクラメン適宜
花留め＊吸水フォーム
花器＊アンティーク風陶器

1 ドラセナはループをつくり、ホチキスで留める。吸水フォームをドラセナ、シクラメンの葉でカバーする。

2 ダリアを花器の高さの約2倍の高さに活ける。野イバラの枝を、1の葉物の上に顔をだすように挿していく。

3 チョコレートコスモスは茎が細く、動きがでるので最後に挿すのがポイント。

ここが大事！ 少しダークな色も、よりダークな色と合わせることにより、ダークさを際立たせることができます。チョコレートコスモスでダリアが際立ちました。

菊を楽しむ

Point 31　馴染みの花は手作り花器で斬新アレンジ

花材＊菊
　　　大菊、ピンポンマム、
　　　スプレー菊、小菊
花留め＊吸水フォーム
花器＊ペットボトル

1 ペットボトルを1/2に切り、吸水フォームをセット。3本のピンポンマムを三角形に、フォーカルポイントの菊を中央に挿す。

2 高さをだす役目の小菊は花器の1.5倍の高さに挿す。底辺の花は上から見ると不等辺三角形になるように挿す。

3 ペットボトルの装飾には、リバーシブルのテーブルランナーを活用。巻くもので洋風にも和風にもアレンジが。

ここが大事！ 形や色が様々な菊を活けるには、大きな花を中央と左右に配置し、色合いを見ながら小さな花で間を埋めます。

ハロウィンのアレンジ

Point 33　収穫祭を黄色、オレンジ、赤、茶色の実りの秋色で表現

花材＊マリーゴールド5本
　　　ケイトウ5本　姫リンゴ5個
　　　ゼラニウム、木イチゴ、
　　　ドラセナ各適宜
花留め＊吸水フォーム
花器＊籠
飾り＊ミニカボチャ　ハロウィンピック

1 ドラセナを吸水フォームのまわりに挿し、木イチゴ、ゼラニウムも吸水フォームを隠すように挿す。ゼラニウムは少し高さをだして挿す。

2 マリーゴールドを5本、グリーンにのせるように、ケイトウは低く沈めるように挿す。

3 約20cmのワイヤー（#20）でUピンを作り、姫リンゴに刺して茎を作ってから挿す。

ここが大事！ 収穫祭なので花器が見えないくらいに豊かにアレンジするのがポイント。葉物も花器の口の近くに垂らすように挿し、花も実も花器から溢れるようにアレンジを。

「冬」の行事をアレンジ

冬はクリスマス、お正月と
1年の2大イベントがある季節です。
クリスマスやお正月に使うお花には
意味を持つものが多く、その意味を踏まえて
アレンジを心がけたいですね。

Point For Arrange

1. 行事のアレンジには物語りがほしいですね。団欒のときの話題になります。

2. 冬の花を選びましょう。丈夫な花が多いので、何度でも活け替えて楽しむことができます。

3. 暖房の効いている室内に飾る場合は、温度や乾燥に気を付けて。風通しはお花にも必要ですし、水揚げにも影響します。

For Arrange
12〜2月
冬の花図鑑

枝若松
お正月の松の中でも一番ポピュラーな松です。真っ直ぐ伸びていることから、「成長」を意味します。この特徴を生かしてラインフラワーとしてアレンジをします。

根引き松
根がついた松で、京都では門松に使われます。根がつくことを願う意味で商売繁盛、大願成就への祈念を表現します。独特の枝ぶりを生かしてアレンジを考えます。

蛇の目松
葉の部分が緑と黄色のまだら（蛇の目）になっていることからこの名がつきました。渋さもでますが、明るい日の出のイメージとしてアレンジをするといいですね。

五葉松
普通の松は葉が2本1組ですが、五葉松は5本1組になっています。ぽってりとした感じの松です。たくさんに枝別れしているので、枝振りを選んで切り分けて使っても。

大王松
「だいおうしょう」が正式名。通常の松葉より三倍近く長く、沢山の松葉が房になっています。一房でも十分存在感があります。松脂がよくでるので重ねるときには注意を。

南天
「難を転じて福となす」という意味があり、江戸時代から縁起花材として使われています。実のきれいなツヤのあるものを選びましょう。10日は持ちます。

千両
お正月の飾りに欠かせない縁起木です。実が黄色くなるのもあり、こちらはキミノセンリョウといいます。自然の曲がり具合を生かすとイキイキとしたアレンジになります。

万年青
万年も青い（緑）と言うことで、これが飾られていると「万年も家が栄える」といわれる縁起花材。葉のカーブや幅の違いを捉えてアレンジをしましょう。

ユーカリ
シルバーグリーンの色が素敵です。色や形がいろいろで、ユニークな形もあり、他の花材と組み合わせがしやすいグリーンです。匂いに好き嫌いがあるかもしれません。

アマリリス
花はフォームフラワーに、茎を活かして使用するとラインフラワーに。一輪でも主役になれる花です。茎は太いのですが、中が空洞なので、他の枝や棒を入れて使います。

葉牡丹
キャベツの仲間ですが、葉が幾重にも重なってボタンの花のようなのでこの名が。寒さに強い花材です。ボリュームのある葉の形と色を生かしてアレンジをしましょう。

ニホンズイセン
一本でも美しくアレンジできますが、まとめても使える花材です。葉の美しさも大切にアレンジを。茎と葉が外れやすいので、葉組をしなおしてから使いましょう。

「クリスマス」

Point 35 アマリリスは1本でも魅力的。クリスマスをモダンでシックにアレンジ

形がはっきりした個性的なフォームフラワー、アマリリスなら1本でクリスマスをイメージできます。色を抑えてシックに表現します。

花材 » アマリリス白1本　ユーカリ、モミノキ各適宜
花留め » 吸水フォーム
花器 » 陶器
資材 » 金色の松かさ　リボン

コツ

1 アマリリスの茎には枝ものを挿して強くする。枝物がない場合はワイヤーにフローラルテープを巻いたものでOK。

2 アマリリスの高さは、花器の1.5〜2倍の高さにするとモダンになる。

3 足元にはモミノキを左に、ユーカリを右に挿す。金色に塗られた松かさとリボンを飾る。

ここが大事！

ユウカリの足元に飾るグリーンは、モミノキやユーカリのように形が様々なものがアマリリスを引き立てます。

アマリリス
モミノキ　ユーカリ

Winter

How to Arrange
▶p86
グルーピングでクリスマスカラーを強調します。

Point 36 アマリリスとモミノキでクリスマスカラーを強調

クリスマスカラーは赤、白、緑、それぞれ「愛と寛大」「純潔」「永遠の命」を表します。クリスマスカラーを花で表現したアレンジです。

「クリスマス」

Point 37 クリスマスオーナメントを使って楽しくアレンジ

行事を象徴するオーナメントを加えると楽しいアレンジになります。今回はサンタクロースのオーナメントを使ってみました。

花材 ＊ アマリリス2本
モミノキ、ヒバ、
ヒイラギ、
シロタエギク適宜
花留め ＊ 吸水フォーム
花器 ＊ 陶器

ここが大事!

花材をグルーピングして挿すと、それぞれの花材が際立ちます。今回のアレンジでも、アマリリス、モミノキ、シロタエギクを際立たせるためにグルーピングの手法を使いました。

1 吸水フォームをセット。アマリリスは花びらが大きく、吸水フォームを隠しにくいので、まずヒバで吸水フォームをカバー。

コツ

2 アマリリス2本を一塊にして重ねるように挿す。モミノキを左前、シロタエギクを右に、それぞれグルーピングして挿す。

Point 38 アレンジで残った花材は オーナメント作りに活用

モミノキやユーカリなど必ず残る花材を使って、
クリスマスオーナメントや小さなプレゼントを作ってみましょう。

1 モミノキ、ユーカリ、黄金ヒバは10～15cmくらいの小枝にする。松かさに地巻きワイヤーをつける。

2 モミノキ、ユーカリを花束にまとめ、足元から3cmくらいのところを松かさをのせ、松かさのワイヤーで留める。

3 2にリボンを巻く。オーナメントにするには両端のリボンを30cmくらいにする。リボンの長さは用途により決めるといい。

ここが大事！
ドライになると葉の部分は痩せるので、茎の部分をしっかりと束ねると吊るしても大丈夫。

花材＊モミノキ（ノーブルファン）
　　　黄金ヒバ　ユーカリ
　　　松かさ（小）
資材＊リボン　地巻きワイヤー（#26）

「お正月」を活ける

Point 39
新しい年を期待する 新春の心を表現

根引き松は枝に動きがあり、根もついていて
新春のイメージにふさわしい松です。新しい年への期待をアレンジ。

How to Arrange
▶p86
松の枝がもたらす動きを見て、全体の構成と挿し方を考えます。

Point 40 松と万年青で凛としたお正月を表現

花材 ＊ 枝若松1本、万年青の葉4枚、実1本
花留め ＊ 吸水フォーム
花器 ＊ 陶器
資材 ＊ 白砂（寒スイ）

葉が常に絶えることなく青々と茂り、
赤い実は母の愛を表すという万年青と松で、シンプルにアレンジ。

1 吸水フォームを花器の口より低めにセット。万年青の実を花器の中心より少し右前に挿す。

2 4枚の万年青の葉の長さを決める。1枚目=花器の高さの2倍、2枚目=1枚目の3/4、3枚目=2枚目の3/4、4枚目=2、3枚目の間の長さに。

3 松は万年青の後ろ、器の中心に、花器の約3倍の高さに挿す。足元は白砂をこんもりと盛るように置く（苔でもよい）。

ここが大事！

万年青に表情をつけて挿すのがポイント。1枚目は万年青の実の後ろに少し前に倒しぎみに、2枚目は1枚目の後ろに奥行きとして、3枚目は左前に45度ぐらい倒して、4枚目は2枚目の葉と少し重なるように75度ぐらい倒して挿します。

「お正月」を活ける

Point 41 お正月の代表格で「今年もよろしく」を表現

松、葉牡丹、千両はお正月の3大役者といえるでしょう。どれが主役でもない、お正月らしいアレンジです。

1 花器に吸水フォームをセット。大王松をバランスを見て、2～3本束ねて挿す。

2 葉牡丹は傷んでいる葉を整理。大王松の右横に花の面が少し前を向くように挿す。

3 ヒムロスギで吸水フォームを隠す。千両を高さを変えて2枝か3枝挿す。

花材 ＊ 大王松1～2束
　　　　葉牡丹1本
　　　　千両1本
　　　　ヒムロスギ適宜
花留め ＊ 吸水フォーム
花器 ＊ 陶器

ここが大事！

大王松は花器の幅の3分の2後ろの中央の位置に、ほぼ垂直に挿すのが、バランスよく整って映ります。

Point 42 大王松とスイセンで新しい年の末広がりを表現

扇のように広がるのが特徴の大王松と、
春一番に咲くスイセンのラインを生かして、「末広がり」をアレンジします。

1 花器の高さの半分ぐらいに吸水フォームをセット。投げ入れの感じをだすために、吸水フォームが見えないようにする。

2 大王松は葉先がきれいに広がるように、1～2束程度を花器の中央に扇のように挿す。

3 大王松の、まわりにバランスを見て、スイセンを投げ入れの感じをだして挿す。花器の近くに千両を挿す。

ここが大事！
大王松は1ヵ月以上持つので、スイセンが終わったらスィートピーやフリージャーと合わせて、春を待つアレンジを楽しみましょう。

花材＊大王松1～2束　スイセン6～7本
　　　千両2～3本
花留め＊吸水フォーム
花器＊陶器

「お正月」を活ける

Point 43 花はグルーピングして平面分割。お節料理に見立てる

重箱を花器に、お正月の花を料理に見立てて、美味しそうに活けましょう。平面分割がポイントです。

How to Arrange
▶p87
花をグルーピングして挿すと面が美しく見えます。

Point 44 テーブルもお正月。華麗にコーディネート

松や南天の実を使って、新春を祝うテーブルをコーディネートします。

1 箸置を作る。松葉2本を足元をそろえて、紅白の水引で結ぶ。

2 松の枝に南天の実をのせ、金の水引で結んで箸置に。

3 器に吸水フォームを3分の2ぐらいの高さにセット。南天の実で吸水フォームをカバー。松の枝、獅子舞ピックを飾る。

4 お猪口や徳利には、菊や黄色の千両をセットする。

ここが大事！
赤や黄色、緑と華やかな色が多いお正月の花材には、食器は染付けなど色を抑えたものを選ぶとお互いが引き立ちます。

花材＊松　南天の実　千両　スプレーマムフェリーPON
花器＊食器・酒器
資材＊水引

How to Arrange
ハウトゥ アレンジ

クリスマス

Point 36 アマリリスとモミの木でクリスマスカラーを強調したアレンジ

アマリリス
ユーカリ
モミノキ

花材＊アマリリス白1本、赤1本
　　　モミノキ、ユーカリ適宜
花留め＊吸水フォーム
花器＊陶器
資材＊リボン

コツ

1 吸水フォームをセット。花器の口が狭いので、グリーンより花から挿す。アマリリスの赤を中央手前に挿す。

2 白のアマリリスを赤と高さを少し変えて右後ろに、モミの木を花器からでるように挿す。

3 ユーカリを、花器からしだれるような動きをだして挿す。リボンをアクセントに飾って仕上げる。

ここが大事！ アマリリスの白は赤より高い位置のあるほうが安定感がある。またアマリリスの花びらを傷めないようにモミノキを挿すしましょう。

お正月を活ける

Point 39 新しい年を期待する新春の心を表現

花材＊根引き松1本
　　　スイセン2本
　　　南天の実1本
花留め＊吸水フォーム
花器＊陶器

コツ

1 スイセンの茎は折れやすいので、南天などの小枝を茎に差し込んで補強をしておく。

2 根引き松を花器の左横に、枝が勢いよく張りだすように挿す。

3 松の葉をきれいに敷き詰め、南天を散らし、スイセンをアレンジする。

ここが大事！ 根引き松の勢いを大切にするには、一定方向に向かせるのがポイントです。他の花材を同じ高さにするとバランスがとりにくいので、低くアレンジするほうがまとまります。

お正月を活ける

Point 43 花はグルーピングして平面分割。お節の料理に見立てる

1 1本の松を節で切って、松葉を作る。どこにどの花を挿すのかスケッチを作る。

2 吸水フォームを花器の半分の高さにセット。松は花器全体の3分の1ぐらいのスペースに。

3 菊は中央に一列に挿す。チューリップ、スプレーマムと大きな花から挿していく。

花材 ＊ 小さくカットした松10本　大菊4本
スプレーマムフェリーPON1本
チューリップ3本　千両1枝　千日紅5本
葉牡丹1本　スイートピー1本

花留め ＊ 吸水フォーム

花器 ＊ 重箱

ここが大事！ 花をグルーピングして面で挿すことで、面が美しく見えます。面のデザインでも、例えば、ひな祭りなら菱形に、バレンタインならハート型にと様々なバリエーションが楽しめます。

クリスマスリースを作る

花を使わずにモミ、ヒバ、ユウカリなどで作るリースアレンジです。

1 ワイヤー（♯18）3本にフローラルテープを巻きリング状にする。モミ、ヒバ、ユーカリは7〜10cmの小枝に切る。

2 モミ、ヒバを4〜5本まとめておく。1個目の小枝はリングの外側（30〜45度）に、2個目はリングの内側に向ける。リースワイヤーで束の足元3cmぐらいのところを巻いて留める。これを繰り返す。リースワイヤーは1周するまで切らない。

3 柊、ユーカリ、松かさ、リボンなどを、バランスをみて飾る。

花材 ＊ モミ、黄金ヒバ、ユーカリ、柊

資材 ＊ ワイヤー（♯18）、
リースワイヤー
（シルバー・ゴールドワイヤー♯26）、
フローラルテープ

「1年」の喜びをアレンジ

1年を通して手に入る花は、季節の花との
コラボレーションを楽しみましょう。
馴染みがある花は、色合わせや花器で、
大胆な冒険をしてみるのもいいでしょう。
思わぬ発見があるかもしれませんし、
花との距離がグーンと近づくかもしれません。

Point For Arrange

1. 飾る場所からアレンジを考えてみます。広さや高さなどを考慮して花材も選びます。

2. 花の色は単色かそれともミックスか、イメージはなど、選ぶ色で季節感も表わします。

3. 花留めを工夫してみましょう。「見せない」花留めだけでなく、「見せる」花留めも試してみましょう。

通年の花図鑑

レースフラワー

花の上からレースをかけるように使うと素敵です。アレンジ全体が優しいイメージになります。花だけ1本ものと枝つきのものとありますからアレンジで使い分けを。

アンスリウム

アレンジでは主役級の花で、実は中央の突起物が花です。花言葉は「恋に悶える」。熱帯アメリカ原産で寒さには弱く、その種類は600種以上。

デンファレ

沢山の花がつくので間引き、茎の下の方の古い花を切って水揚げをよくすると花が元気になります。茎も花もしなやかなで、アレンジにはこのしなやかなラインを生かして。

バラ

季節限定のバラもあるが大半は通年。品種も色も多種多彩な花材で、イメージにより色や品種を選んで。水落ちしやすいので長持ちさせるためには、水揚げをしっかりと。

スプレーバラ

枝分かれしていくつもの小ぶりな可愛い花をつけるスプレーバラは、自由にアレンジに使える重宝な花材です。枝分けをしてアレンジメントに使いましょう。

カスミ草

どんな花やグリーンとも相性がよく、加えただけでアレンジが優しく、豊かになる貴重な花です。花言葉は「幸福」。ウエディング・ブーケにも人気です。

ガーベラ

色や形が豊富で、花の可愛らしさはアレンジで大活躍です。茎は水に浸かりすぎると変色するのでガラスの花器など、茎が見える場合は水を少なめにしましょう。

ユリ

切り花のユリの代表、カサブランカは一本に3輪くらいの花がついていて、次々と咲いてくるので、工夫次第で一本でも豪華にアレンジができます。

シンビジューム

白やピンクなどの淡い色が多く、意外に松などの花材と合わせて和風のアレンジも似合います。黄色や濃い紫などの色もあります。一輪でも豪華にアレンジできる花です。

ユリのアレンジ

Point 45　カサブランカとグリーンだけでカサブランカを強調

カサブランカの花だけを使った、和洋のインテリアに合うアレンジです。

How to Arrange

▶p96
ドラセナとカサブランカが一体になるようにアレンジします。

Point 46 枝もユリも低く活けるのが このアレンジのポイント

高さをだして活けるのがポピュラーな枝物やユリを、逆に低く活けて強さをだします。

1 枝物は花器の口から10cmぐらいでるように揃え、枝の先は真っすぐに切る。まず枝物を挿す。

2 ユリのつぼみを一番高くなるように挿す。

3 枝物を花留めにして、ユリを花器の口に咲き誇るように挿す。1輪は裏側に挿し、奥行きをだす。

ここが大事！ 枝先を真っすぐに切ると、枝の力強さがでます。また、枝を花留めとして使うのもこのアレンジのポイント。

花材 ＊ カサブランカ5輪 枝物適宜
花留め ＊ 枝物
花器 ＊ 陶器

91

バラのアレンジ

ピンクの同系色でまとめると
ロマンティックなイメージに

動きがでるようにスプレーバラを選び、
ピンクでまとめて優しいロマンティックなイメージになりました。

How to Arrange
▶p96
ラウンドのラインを常に意識しながらバラを挿していきます。

ガーベラ

Point 48 同色の花をグルーピング。白色をアクセントカラーに

赤、オレンジ系、白のガーベラで、花の種類も2〜3種類用意。白を入れることで、他の色が鮮やかに強調されます。

How to Arrange

▶p97
全体をまとめるのが白いガーベラの役目。それを考えて挿します。

ランのアレンジ

Point 49 シンビジューム1本で ランの華やかさをアレンジ

シンビジューム1本を分けて、動きをだして活けます。

1 枝先・枝元を2：1になるように切る。根元の方を花器のコーナーに真っ直ぐ立てて挿す。

2 枝先は、根元が入っているコーナーの対角線上のコーナーに、花器の口からこぼれるように挿す。

花材＊シンビジューム1本
花器＊ガラス

ここが大事！

シンビジュームの枝の流れを見て、アレンジをイメージしてからカットします。切るときは枝先が平らになるようにカットしましょう。

Point 50 ホリゾンタルで華やかに パーティのテーブルアレンジ

華やかやアレンジになるホリゾンタルは、
パーティのテーブルアレンジによく使われます。

How to Arrange

▶p97
長さと幅のバランスをはじめに決めるのがポイントです。

How to Arrange
ハウ トゥ アレンジ

ユリ

Point 45 カサブランカとグリーンだけでカサブランカを強調

花材＊カサブランカ1本
　　　ドラセナ1本
花留め＊吸水フォーム
花器＊陶器

1 吸水フォームを花器にセット。ドラセナはトップ以外の葉を取り除き、中央に挿す。

2 カサブランカは1輪のめしべを取り去り、ドラセナの足元に2輪挿す。

3 ドラセナの葉でカサブランカのつぼみを包み、吸水フォームをカバーするように挿す。

ここが大事！ ドラセナの色と同系色のカサブランカのめしべはアクセントになるため、1輪のめしべは残します。また、ドラセナでつぼみを包み一体感あるアレンジに。

バラ

Point 47 ピンクの同系色でまとめるとロマンティックなイメージになる

1 スプレーバラの葉を取り枝を整理する。枝のしっかりしたものを5本選び、写真のように挿す。

2 はじめに挿した5本のバラの間に、常にラウンドを意識してバラを挿していく。

3 リキュウソウをバラの枝に葉をつけるようなイメージで挿していく。

花材＊ピンク系スプレーバラ3種7本
　　　リキュウソウ3本
花留め＊吸水フォーム
花器＊陶器

ここが大事！ ラウンドのラインを崩さないように、バラが花器からあふれでるように活けるのがポイントです。

96

ガーベラ

Point 48 同色の花をグルーピング。白色をアクセントカラーに

花材＊ガーベラ
　　　赤・オレンジ系15本
　　　白10本
花器＊ガラス

1 ガーベラの茎にワイヤー（♯18）を花首までさす。茎の強化と動きをだすため。手で優しくしごいて動きをだす。

2 オレンジ系から入れ、次ぎに赤系を挿す。ガーベラの茎は曲線をつけながら、グラスからあふれでるように挿す。

コツ

3 白は最後に一番低く、他のガーベラを支えるように挿す。花器から茎が見えるので、きれいに挿す。

ここが大事！ ガーベラだけのアレンジでは、バラバラなイメージにならないように、ガーベラの動きと色のグルーピングがポイントです。オレンジ系と赤系でグルーピング。白はまとめの役目になります。

ラン

Point 50 ホリゾンタルで華やかにパーティのテーブルアレンジ

デンファレ
ニューサイラン
レザーリーフファン

花材＊デンファレ7本
　　　ニューサイラン（赤）2本
　　　レザーリーフファン2本
花留め＊吸水フォーム
花器＊ガラス

コツ

1 吸水フォームを花器から3cmぐらいだしてセット。ニューサイランで長さと幅を決める。

2 ニューサイランの長さと幅の上に、デンファレを挿す。

3 レザーリーフファンをニューサイランの間、4箇所に挿す。デンファレを高さ・奥行きを見ながら挿していく。

ここが大事！ デンファレは挿す部分をつけてカット、ニューサイランは挿しやすいように中心の葉脈を尖らせてカットするのがポイント。

Q&A

アレンジについてお答えします。

Q1 母の日はカーネーションですが、父の日にふさわしい花とアレンジを教えてください。

A 素敵なお父さんに送られる「イエローリボン賞」の影響か、最近は黄色の花を贈るのがステイタスになっているようです。中でも人気はヒマワリ。お酒が好きなお父さんなら、今回紹介したp54のワイングラスのアレンジはどうでしょう。自然が好きならp55というように、お父さんの趣味や好きなものを生かしたアレンジはいかがですか。また、ユリも人気の花です。それは「尊敬」というユリの花言葉のせいでしょうか。

Q2 枝物はアレンジのアクセントになります。使うときのポイントを教えてください。

A 枝物やつる物はアレンジに動きや流れをつけたいときに重宝しますが、まずアレンジを考えてから、大きさや色、形を決めましょう。手でためたり、水につけなくても大丈夫なのでワイヤーで留めたりと、アレンジの幅が広がります。もちろん自然の姿を生かして大胆なアレンジも枝物の魅力です。また、実物は季節感を演出するのに便利な花材です。

Q3 果物をメインにしたアレンジはどんな点に注意をしたらいいでしょうか。

A 今回紹介したサンクスギビングデーのアレンジでは、収穫を祝うということで、さまざまな花材と姫リンゴを使いましたが、果物を使う場合は大胆なアレンジにトライしてください。花材も小さな花や葉物は避け、モンステラやヤツデなどの大きな葉物との組み合わせをおすすめします。グリーンが果物の新鮮なイメージをアップしてくれるでしょう。また特に夏は、南国を思わせるようなアレンジが素敵ですね。

Chapter

3

花を
もっと楽しむ
アイデア6

1. 和花を「洋」にアレンジ

2. 洋花を「和」にアレンジ

3. 3倍楽しむ活け替えテク

4. 花アクセサリーを作る

5. 1輪挿しを楽しむ

6. 1種類の花で個性的アレンジ

1 和花を「洋」にアレンジ

Point 51 平面アレンジや洋の花器でお洒落に

いつでも手に入りやすい菊をお洒落な顔にしてみました。菊の葉は和のイメージを強くするので、葉は使いません。また、動きをださない平面アレンジをすることでお洒落になりました。もう一点は、花器にガラスのケーキ台を使い、ケーキをイメージしたアレンジにしてみました。

小菊を平面アレンジでモダンに

花材＊スノレー菊 スプレーマムフェリーPON アジサイ ヒペリカム ミスカンサス

花留め＊グリーン色の吸水フォーム

花器＊細長い物

1 グリーンの吸水フォームをセット。器の長さを4等分し、どこにどの花をグルーピングするかを決めて、挿していく。

2 最後にミスカンサスをアクセントに入れ、グルードットで側面に貼る。

ここが大事！
平面のアレンジには花の動きがありません。それで、ミスカンサスで動きを加え、さらにお洒落な雰囲気になりました。

和花を洋にアレンジの キーポイント

❶ 洋のイメージが強い花材と組み合わせます。
❷ 面構成やグルーピングでアレンジします。
❸ ガラスなど洋の花器と合わせます。

ここが大事！
アジサイの枝を花留めにしてスプレー菊を挿します。そうすることで、こんもりと丸いラウンドケーキのようになります。

アジサイをケーキに見立ててお洒落に

花材 ＊ 秋色アジサイ　スプレー菊　椿の葉
花留め ＊ 吸水フォーム
花器 ＊ ケーキ台

1 吸水フォームをケーキ台の右側にセット。アジサイを挿す。

2 吸水フォームをカバーするように、アジサイを丸くアレンジ。

3 小枝に切ったスプレー菊をアジサイの枝を花留めに挿す。椿の葉をあしらう。

2 洋花を「和」にアレンジ

Point 52 花器とパートナー花は和のイメージのものを選ぶ

バラやカーネーションなどを和にアレンジするには、まず花器を選びましょう。今回紹介の2作品は共に、渋い色の和のイメージが強い手付き花器を使いました。また、バラのアレンジでは、葉に椿の葉を使い、見る者に「バラは和花」と錯覚させるテクニックを使ってみました。

花器と椿の葉でバラが和の顔に

花材＊バラ　椿の葉　苔
花留め＊吸水フォーム
花器＊陶器

1 吸水フォームを花器にセットし、吸水フォームを苔でカバーする。

2 バラは茎を5〜6cm残して切り、短く挿す。

3 椿一枝は葉を整理して挿す。2枚の葉はワイヤー（#20）でヘヤピンメソッドをして、バラの葉として挿す。

ここが大事！

わびさびの世界をイメージし、花器は渋い色調のものを選びました。椿の葉をバラの葉としてアレンジしたことで、洋花のバラが和花の顔になりました。

洋花を和にアレンジの キーポイント

1. 葉は使わず、典型的な和花の葉をあしらいます。
2. 活け花の手法を使ってアレンジします。
3. 渋いイメージの和の花器と合わせます。

ここが大事！
リュウカデンドロンは挿す長さの3分の2の枝や葉は整理します。下部をスッキリとさせてバラを目立たせます。

渋めの和陶器は洋花と合わせやすい

花材＊バラ（赤）
　　　リュウカデンドロン
花留め＊吸水フォーム
花器＊陶器

1 リュウカデンドロンの葉を整理。生け花風に手でためる。

2 一番長く挿すリュウカデンドロンは後ろに、2番目は左斜め前に挿す。

3 バラ3本は高さを変えて右斜め前に挿す。まず、1本は手前に。

3
3倍楽しむ活け替えテク

Point 53　活け替え「時」を見極めるのが大切

いただいたブーケや特別な日に活けた花の一部が枯れてしまったら・・・。「もったいない」と思ったら活け替えを楽しみましょう。弱った花材を取り去り、残った花材を生かして、花器も替えてまったく異なるアレンジを楽しみましょう。

活け替え❶

1. 花が乱舞する華やかなアレンジ

アイリス、アジサイなど初夏の花を使ったアレンジ。アイリスで高さをだし、アジサイとカーネーションでアクセントをつけ、レースフラワーでリズムをプラスします。

花材 ＊アジサイ、アイリス、カラー、カーネーション、レースフラワー、スカビオサ、テンモンドウ、ドラセナ、枝

ここが大事！
個性的な花たちの顔が見えるように、向きを考えて花を挿していきます。枝を足元に、アイリスで高さをだすのがポイントになります。

花を活け替える キーポイント

❶ 弱った葉や花はきちんと取り去って整理します。
❷ 活け替える花材の茎は水で洗い、水切りをします。
❸ 茎が短くなることを考慮して花器を選び、イメージを変えてアレンジします。

> **ここが大事！**
> 異なる花を使った3つのアレンジを、1本の枝を添えることで、ひとつの作品に演出します。

> 残った花材 ＊ カーネーション、アジサイ、ドラセナ、カラー、枝物

2. スタイリッシュなアレンジに

ガラスの花器を生かしたアレンジに。花をグルーピングしてスタイリッシュに活けます。

3. アイデアを生かす

花が少なくなったので、グリーンのドラセナと枝だけプラスしてアレンジ。花が少ないときは、同じ花器数個を使い、ひとつの作品としてアレンジすると、残り物をアレンジしたようには見えません。

1 アジサイとスカピオサを挿す。スカピオサは高さを3段階に活ける。

> 残った花材 ＊ アジサイ、カラー、カーネーション、スカビオサ、レースフラワー、ドラセナ

2 アジサイの後ろにカーネーションを挿し、残りの花材をバランスを見て挿す。

> **ここが大事！**
> クリスタルの花器を強調するために、口元にグリーンのドラセナや濃い色の花、カーネーションを挿し、さらにドラセナは輪にして立体感をだしました。

活け替え❷

1. 庭をイメージして

庭に咲いたバラにトルコキキョウとデルフィニュームなどを加えて、ブリキジョーロの花器にアレンジ。いろいろな色がある場合は色をグルーピングするとアレンジしやすくまとまります。

> 花材＊バラ、
>   トルコキキョウ、
>   ラクスパー、
>   デルフィニューム、
>   玉シダ

ここが大事!
濃い色のデルフィニュームは、アクセントカラーとして低く挿します。

2. ホリゾンタル風に

トルコキキョウでラインをだし、その間に他の花を挿していきます。玉シダを高く挿して、アクセントにします。

> 残った花材＊トルコキキョウ、
>   ラクスパー、
>   デルフィニューム、
>   バラ、玉シダ

ここが大事!
トルコキキョウの性質を生かして、横に挿すアレンジに。

3. 最後まで楽しむ

少ない花の場合は、花器に溢れるように挿すと、小さいながらゴージャスに映ります。

> 残った花材＊トルコキキョウ、
>   デルフィニューム、
>   バラ、玉シダ

4 花アクセサリーを作る

生花を使ってヘアアクセサリーと
コサージュを作ってみましょう。

hair accessory
ヘアアクセサリー

[作り方]
① バラは茎を約2cm残してカットし、ワイヤー（♯22）（ピアスメソッドとインソーションメソッド）をかける。切り口にティッシュを巻いて保水してからフローラルテープを巻く。
② ネリネは茎を約1.5cm残してカット。ワイヤー（♯24）をかけインソーションメソッドで処理し、保水してフローラルテープを巻く。
③ バラとネリネをバランスよくまとめてフローラルテープを巻く。ワイヤーは（♯22）

[作り方]
① カーネーションはガクをはずし、1／4にしてワイヤー（♯16）を使いツイスティングメソッドで処理する。
② スカビオサはワイヤー（♯24）を1／2にしてフッキングメソッドで処理する。
③ ①と②を一列にしてガーランド状につないで仕上げる。

corsage
コサージュ

[作り方]
① シンビジューム2輪はワイヤー（♯22）を使いピアスメソッドとインソーションメソッドで処理。
② リューカデンドロンはワイヤー（♯24）を使いツイスティングメソッドで処理。ツバキの葉はヘアピンメソッドで処理。ワイヤー（♯26）
③ シンビジューム1輪を手前に2輪を少しずらして重ね、リューカデンドロンとツバキの葉の上にセットし、ワイヤー（♯26）で結束。フローラルテープでまとめる。
④ ステムをリボンで巻き上げる。

5
1輪挿しを楽しむ

1輪の花を生かすには花器選びがポイント

Point 54

アレンジで余った、あるいは生き残った花材は1輪挿しにしましょう。生き残った花材は葉から悪くなりますから、葉をカットして活けます。花器は食器など、花器でない花器を考えてみましょう。アレンジが楽しくなります。また、単調にならないようにグリーンをアクセントにしたり、1輪挿しを集合させたり…。集合させると、大きなアレンジより華やかになります。

グリーンと合わせて

1

2

3

1 グリーンで高さをだしてアクセントに。
2 シルバーの葉物で優しいアレンジに。
3 グリーンをグラスに巻いてアクセントに。

ミニグラスを集めて華やかに

置く場所で数を決めて。

試験管のような1輪挿し。壁などに飾る。

存在感のある花材

口が広い花器の場合、花はどちらかに寄せて。

枝をアクセントに使ってアレンジ。

野菜や果物をあしらう

花材に果物や野菜などを合わせてアレンジすると、季節や行事が強調されます

秋を強調するアレンジで、柿をあしらいました。

サンクスギビングデーのアレンジで、収穫を強調するため、パンプキンやリンゴをアレンジに使いました。

6 1種類の花で個性的アレンジ

Point 55 花材の形、開き方、色のグラデーションを大切に

花材の個性やアレンジのイメージを強調したい、あるいは母の日などの行事を強調したいときに、1種類の花材だけのアレンジがあります。

魅力的なアレンジにするためには、咲き方、色などの「グラデーション」がポイントになります。色、咲き方（蕾から満開）、形など、自然をアレンジするつもりで花を選び、デザインを考えましょう。

花の個性を強調

ガーベラの色をグルーピングして、ガーベラの持つ華やかさや可愛いさを強調。

人気のない花を華やかに

地味なイメージの菊ですが、種類や色を集めて華やかにアレンジ。

スイートピーのグラデーションを生かしてアレンジ！

> **1種類の花材をアレンジする キーポイント**
>
> ❶色のグラデーションを考えます。
> ❷満開からつぼみまでの植生を生かします。
> ❸バラバラにならないようにグルーピングを。

季節を強調

ヒマワリで太陽が照りつける夏を強調。

グラジオラスで夏を爽やかに表現。

行事を強調

母の日のイメージが強いカーネーションだけで、母の日を強調。

花器をアピール

花器を強調するために、花材はさらりとアレンジ。

Q&A

花の楽しみ方にお答えします。

Q1 生花のアクセサリーは どうしたら長く持たせることができるでしょうか。

A 生花のアクセサリーで一番の問題は吸水です。できあがったら使うまで、充分に霧吹きで水を与え、濡れたティッシュで包んで、ビニール袋に入れて冷蔵庫で保管しましょう。3日ぐらいは大丈夫です。

今回紹介したのは、ヘアアクセサリーとコサージュですが、お正月や成人式では、帯につけるアクセサリーが話題になりました。後ろ姿がより華やかに映ります。帯留めにしてもいいですね。

Q2 アクセサリー作りにもワイヤーテクニックがでてきますが、ワイヤーの番号は何を表すのでしょうか。

A グリーンを生かすテクニックとしても、ワイヤリングはでてきますし、フラワーアレンジには欠かせないテクニックです。ワイヤーについている数字はワイヤーの太さを表します。数字は偶数で書かれていて、数字が大きいほど細くなります。花材により太さが変ります。例えばガーベラは＃20、ブルースターは＃28。大きな花ほど太いワイヤーを使います。

Q3 ブートニアを手作りしたいと思っています。何か楽しいアイデアはないでしょうか。

A 男性がプロポーズする際に渡した花束から、女性が1輪を抜いて、返事がOKなら男性に渡すというのがブートニアの由来です。伝統を大切にしたうえで何かスパイスを利かせたいですね。例えば、男性の趣味がヨットなら、ヨットの模型に花を挿すとか。趣味やふたりのなりそめ、好みなどを生かして花と一緒にアレンジするというのはいかがでしょうか。

Chapter 4

知っておきたい
アレンジ前の
手入れテク

1.花屋さんと仲よくなる

2.元気な花の見分け方

3.花留めの方法を知る

4. 花材を長持ちさせる

5.アレンジ前に枝・葉を整理

1 花屋さんと仲よくなる

Point 56 花への愛情があるかをチェック

花との出会いは、まず花屋さんとの出会いからです。生き生きして長持ちする花との出会いは、いい花屋さんを見つけることから始まります。信頼できる花屋さんと仲よくなることが、花のアレンジが上達する一歩といえるでしょう。そのためには、何度か通ってみることが大切です。

ここをチェック

1. 葉の手入れがされているか

花は葉から傷んできます。茶色の葉がついたままでは、花の手入れをしていない証拠ですし、花の鮮度も失われているかもしれません。花屋さんは仕入れてから、水揚げをします。水揚げは花を長持ちさせる大切な作業です。これを怠った花は元気がありませんから直ぐにわかります。花がきれいに陳列されているかもチェックを。花への愛情があるかわかります。

2. 旬の花が揃っているか

旬の花がきれいに陳列されているかどうかもチェックポイントです。春ならチューリップやスイートピー、夏はヒマワリと、旬の花は元気です。旬の花のアレンジも飾られていると最高です。バラは1年中ありますが、夏のバラは元気がありません。アレンジでは季節の花を楽しみたいですね。

3. スタッフは花の知識が豊富か

花のプロである花屋さんからは花を買うだけでなく、知識も得たいですね。「この花の水揚げはどうしたらいいですか？」など、手入れの仕方や花の種類についてなど、気軽に聞けるようにしておくと、アレンジの上達にもつながります。買う側も基本的な知識はほしいですね。

4. 花の名前と説明文がついているか

花に名前がついているのは当たり前ですが、花の自己紹介もされていたら、花への愛情や知識が感じられ、ぜひ仲よくなりたい花屋さんですね。また、1本買いのお客も歓迎という花屋さんもいいですね。新しい花をどんどん紹介している花屋さんを知っていると、プレゼントのときに役立ちそうです。

2 元気な花の見分け方

花びら、葉、つぼみなど 6箇所をチェック

長持ちする新鮮な花を一目で見分けるには、6箇所をチェックしましょう。花の色はくすんでいないか、傷がないか、茎や葉には変色や傷がないか、つぼみは色づいているかなど、細かくチェックをしましょう。

花びら
鮮度が一番わかるのが花びらです。透けて見えるように薄くて貧相な花びらは×です。色が鮮やかでふっくらしている花びらは、鮮度がいい証拠です。

茎
茎に傷がないかチェックを。バケツから頻繁に出し入れされたための傷かもしれません。長いこと置かれている証拠で、新鮮ではありません。

めしべ
めしべの色が鮮やかでしっかりしている花は新鮮でしょう。咲いてから時間が経っている花のめしべは、色味がなく、中心部分がなくなっていることもあります。

ガク
新鮮な花のガクは先までピンと張って、色もきれいなグリーンをしています。変色していたり、変形しているものは古い証拠です。

つぼみ
スプレーバラのようにたくさんのつぼみは咲かないものも多く、先が色づいていないものは咲かないことが多いです。

葉
シャキッとしていて、色が鮮やかな葉の花は新鮮で、手入れがされています。反面、折れていたり、傷がある葉の花は手入れがされていなかったり、時間が経過している証拠です。

3 花留めの方法を知る

Point 58 花留めはアレンジの良し悪しを左右する

どんなアレンジをするのか、また使われる花の種類により、花留めの方法を選びます。ですから、どんな花留めの方法があるのか、そしてそのテクニックを知ることは、上手にアレンジをする大切な要素になります。

花留めの種類

花留めの種類は大別すると吸水フォーム、剣山、その他に分かれます。

1. 吸水フォーム

今や一番ポピュラーなのが吸水フォームです。形もハート型やボール型など様々なものが、また色もグリーンやピンクなどのカラーフォームが市販されています。吸水フォームは隠すのが常識でしたが、カラーフォームはアレンジの一環として「見せる」ために使われます。

体積とほぼ同量の水を含む。

カラーフォームも人気に。

2. 剣山

生け花によく使われるのが剣山です。花を真っ直ぐ挿すのは簡単ですが、吸水フォームのように、花をいろいろな角度で挿すとなるとコツが必要になり、フラワーアレンジにはあまり使われません。ただ、吸水フォームと一緒に使われることはよくあります。

3. その他

針金を丸めたものや、夏には涼しげなゼリー状のものも花留めとして市販されています。写真のように花器と一緒になっている便利なものもあります。

このまま花器にセットする。

花器としても使える。

自然を花留めに

木の枝や葉、石など自然のものを花留めに活用してみましょう。

1. 木の枝を使う

木の枝を使う場合、「見せる」と「見せない」やり方があります。見せないやり方でも、剣山や吸水フォームと違い、見えてしまっても花材の一部と思われる利点があります。

細い枝を輪にして花器にセット。

花材としてアレンジされている枝に、他の花材を留める方法。

枝がアクセントになっている、見せる留め方。

花材をしっかり留めるのではなく、動きを生かすときに枝をクロスさせる。

2. 葉物を使う

葉物を輪にしたりして、花器にセット。花材を挿していく方法です。花材の動きが固定されにくいので挿しにくいこともあります。

ハランを巻いて花器にセット。

3. 貝殻や石を使う

海で拾ってきた貝殻を花器に。たくさんの花でなければ花留めにもなる。

花留めとしてだけでなく、アレンジの素材としても活躍するのが貝殻や石です。特に夏には、どちらも涼しさを演出するときに重宝します。花留めとしては石や貝殻を重ねてその間に挿したり、また、剣山などの花留めを隠したりするときにも使います。

吸水フォーム

保湿性にも優れ、形も自由にできるので、フラワーアレンジの世界では最も使われています。

1. 吸水フォームをカット

まず、吸水フォームを花器の形に合わせてカットします。吸水フォーム専用のナイフがありますが、台所のナイフでも大丈夫ですが、使ったら洗うことを忘れずに。カッターナイフやハサミですと切り口がガサガサになりがちです。花器より吸水フォームを高くセットする場合は、面を斜めにカットして花を挿すスペースを作ります。カットするのは、水を含んでからのがいいでしょう。

吸水フォームは吸水してから花器にセット。

花器より高くセットする場合は斜めにカット。

2. 水の含ませ方

水に置くときは静かに。直ぐに沈み始める。

たっぷりの水の上に静かに置きます。無理に沈めたりすると、中まで水が浸透しなくなります。中まで水が浸透したかどうかは、花を挿したときにわかります。「カサッ」という音がしたら、中まで浸透していない証拠です。

大きな吸水フォームに水を含ませる場合

リースを作るときなどのリング状になった吸水フォームは大きすぎて入る容器がない場合は、ジョーロやホースで水をかけながら水を含ませましょう。

3. 花器と吸水フォームの関係

花器より高くセット

面を斜めにカットして横から挿すスペースを作る。

花器より低くセット

どのくらいの低さにするかはアレンジにより決める。

吸水フォームはまず花器にセットしますが、アレンジにより花器より低くセットする場合と高くセットする場合があります。花材が多く、広がりを持たせるようなアレンジでは高くセットし、花材が少ないとか、カバーグリーンを使う場合は低くセットします。

4. 花材の挿し方

　吸水フォームに花材を挿すときに考えなくてはいけないことは、花が一番いい状態で吸水できることです。それにはまず、花材の茎の先を斜めにカットしましょう。枝物は一文字にハサミを入れると挿しやすくなります。切りにくいときは斜めにカットしてから切るといいでしょう。また、太い枝の場合は十文字をいれると吸水がよくなります。

　しっかり固定させるためには、3cm～5cmは挿します。斜めに挿すときは、他の花材とぶつからないように、あらかじめイメージして挿すようにしましょう。また、挿したり抜いたりすると、吸水フォームの中に空洞ができて吸水作用が低下しますから、見極めて挿しましょう。

茎を水平に切ると穴が大きくあき、上の方に隙間ができてぐらつく原因に。茎の先を斜めにカットすると吸水面も広くなり、また、吸水フォームにしっかり密着してぐらつきにくくなる。

[挿し方のポイント]

斜めに挿す

斜めに挿すときはしっかり挿しましょう。浅いと花の向きが変わったりするので、3cmは挿すように。

茎にワイヤーを通す

茎が柔らかい花、例えばガーベラなどは茎の中にワイヤーや小枝を入れてから挿すとしっかりと固定されます。

太い茎は一文字にカットすると、吸水がよくなる。

葉を挿す

葉だけを挿す場合はヘアピンメソッドをしてから挿します。ヘアピンメソッドを施すと、自由自在に曲げることができるのでアレンジもしやすくなります。

Uピンで留める

細い枝やツルを挿すときはUピンを使いましょう。Uピンは留めるためだけでなく、花材に動きをつけるときにも活躍します。ワイヤーを曲げて作ります。

吸水フォームの中もきれいに

花材を挿すときに抜いたりすると、吸水フォームの中は無残な状態になってしまい、花材の固定や吸水に支障が生じることになります。抜いたり挿したりを繰り返さないようにしましょう。挿し直すときは、同じ場所には挿さないようにします。

使い終わった吸水フォームは？

一度水を含ませて使った吸水フォームは2度使うことはできません。充分に水を絞ってから棄てます。可燃ごみ扱いか不燃ごみ扱いかは地域により異なるようです。

4 花材を長持ちさせる

Point 59 水切り、水揚げのひと手間が花の元気に影響

「花屋さんから買ってきたばかりなので、大丈夫」と思わずに、アレンジ前には必ず水切りをしましょう。また、花が弱っているときは水揚げを。水揚げが難しい花の場合、湯揚げや焼揚げという方法もあります。どれも花を長持ちさせるためです。また、日頃のお手入れも肝心です。

1. 水切りをする

たっぷりの水の中で、茎を斜めにカットします。斜めにカットするのは、断面を広くすることで、水を吸収しやすくするためです。切れないハサミを使い、茎の繊維をグチャグチャにしてしまうと、かえって水の吸収を悪くしますから、注意を。また、茎の堅い枝物は、水切りはできません。

切れるハサミを使い、水中で斜めにカット。

2. 水揚げをする

弱っている花には水揚げをしましょう。茎先を10cmほど残し、新聞紙でくるみます。深い容器を用意し、直立に入れて1時間ぐらいおきます。新聞紙にくるむのは、葉や枝から蒸発する水分を防ぐためです。

水揚げは葉や茎を整理してから。新聞紙にしっかり包むこと。

茎から白い液が出る花

ブルースターやポインセチアなどは、茎を切ると白い液がでてきます。この白い液が固まると水を吸収できなくなるので、水中で十分に洗い流しましょう。

こんな水揚げは×

簡単に水揚げをしようと、浅い器に水を入れて花を寝かせて浸ける。よく見かける光景ですが、これでは水揚げ効果は期待できません。真っ直ぐに水に浸けるようにしましょう。ただし、花首や茎の弱い花材の場合は充分に注意をしてやるようにしましょう。

3. 水揚げが難しい花材の場合

　ストックやガーベラ、アジサイやライラックなど、水切りや水揚げでは吸水効果が上がらない花材もあります。そんな花材には「湯揚げ」や「焼揚げ」という方法があります。ただし、やってはいけない花もありますから、花屋さんに聞いてから試みるようにしましょう。

湯揚げ

熱湯につけて茎に詰まっている空気を外にだして真空状態にし、次に水につけることでいっきに水を吸い上げさせる方法です。
① 花材は湯気に当たらないように新聞紙にしっかり包む。
② 鍋に3cmぐらいの熱湯を用意し、①の茎の先2cmぐらいを浸ける。20秒～40秒ぐらい。
③ 深い容器に水をたっぷり入れ、①を直ぐに浸けて水を吸水させる。変色した茎の先は切る。

熱湯に20秒～40秒浸ける。

焼揚げ

茎の固いものや水を吸水しにくいアジサイに向くのがこの方法です。原理は湯揚げと同じで、茎の中を真空にするのですが、焼く分、吸水効果は上がります。
① 花材は新聞紙にしっかり包む。
② 茎先3cm～4cmを火に当てて、黒くなるまで焼く。
③ 焼けたら直ぐの深水に入れて、1時間以上は吸水させる。

茎の先端が黒くなるまで焼く。まわしながら焼くといい。

長持ちさせるひと手間

身近なものや延命剤を使って長持ちさせるひと手間です。これらのひと手間を習慣にするといいですね。

水替えのときは茎や花器も洗う

水を替えるときには、茎と花器を洗うようにしましょう。茎がヌルヌルになっていると、それは花が傷み始める合図です。花器も同じことがいえます。バクテリアなどの菌がついていることがありますから、しっかりと洗いましょう。

水替えのときは茎や花器も洗う

1 水をきれいにする
10円玉を花器に入れておきます。銅に含まれるイオンの働きで水が殺菌されます。

2 市販の延命剤を使う
市販の延命剤には切花を長持ちさせる栄養や

10円硬貨や漂白剤、延命剤など長持ちさせるグッズ。

吸水効果を上げる海面活性剤が含まれています。

3 漂白剤を使う
漂白剤には花材を傷めるバクテリアの繁殖を防ぐ効果があります。漂白剤は薄めて使います。

5
アレンジ前に葉・枝を整理

Point 60　上手なアレンジには葉・枝の思い切った整理が肝心

花屋さんで買ってきた花材は、アレンジする前に葉や茎を整理しましょう。花をイキイキときれいに見せるには、葉の整理は不可欠です。「もったいない」気持ちは捨てて整理を。また、葉の整理は長持ちにもつながります。

1. 枝を整理する

　上手なアレンジに欠かせないのが枝の整理です。1本からたくさんの枝がでているスプレーバラや小菊、トルコキキョウなどは、枝の整理が肝心。枝分けできる枝は切って、1本として活けましょう。

[ここがポイント]
①できるだけ茎を長く残して切ります。
②重くなりそうな枝もカット。短い枝は1輪挿しに使いましょう。
③交差している枝はどちらか一方をカット。
④カットした後の茎が残らないようにきれいに始末を。

2. 葉を整理する

　葉の整理もアレンジのポイントです。葉が多いと肝心の花がかすんでしまい、全体に重くなります。また、花より葉のほうが傷みやすいので、アレンジ前に整理をします。カットする前に全体を見ることを忘れずに。

[ここがポイント]
①重なっている葉は傷みも早いのでどちらかをカット。
②バラやダリアなど葉が傷みやすい花の葉ができるだけ整理するか、花だけでアレンジを。
③カスミソウの葉は茶色になりやすいので、あらかじめ整理をしておきます。

3. つぼみやトゲの整理

　色味のないグリーンのつぼみは咲かないことが多く、水だけは吸いますから切るほうがいいでしょう。バラのトゲもカットしておきましょう。
　整理が終わったら、アレンジに従い花材を切り分けます。

花粉を取る

ユリやネリネなどの花粉は、アレンジにより必要な場合もありますが、そうでなければアレンジ前に取っておきましょう。

服についたら乾いた布で拭く。濡れた布では取れない。

〔カーネーション〕

細長い葉とたくさんのつぼみを持つのが特徴のカーネーション。まず、アレンジしたときに水に浸かる部分の葉はカット。長く残せる茎からカットし、色味のないつぼみも整理します。

1本を切り分けてアレンジに使う。アレンジにより、一番長いものを残してカット。

〔スプレー菊〕

葉が多い菊は、まず葉を整理します。折れた葉や重なっている葉、古い葉から整理。アレンジしたときに水に浸かる葉はカットします。アレンジにより茎を分けていきます。つぼみもチェックをしましょう。

吸水フォームに挿すことを考えて、茎は太めの部分を残してカット。アレンジにより、ここからさらに葉を整理。

アレンジにより、こんな姿でカットする場合も。

〔スプレーバラ〕

葉は取りすぎかなと思うぐらいカットしても大丈夫です。トゲもカット。バラのつぼみは咲かないことも多いので、色味のないつぼみは取り去りましょう。アレンジによっては葉をすべてカットすることもあります。

Q&A

手入れテクについてお答えします。

Q1 夏はお花が直ぐに弱ってしまいますが、
花のない生活は考えられません。
少しでも長持ちさせる方法はありますか。

A 当たり前のことですが、水を頻繁に替えることです。その際に、茎を洗うこと、茎を少しカットする、この2点を行ってください。茎の表面がヌルヌルしてくるのは、腐り始めの合図です。

茎の先をカットするのは、吸水をよくするためです。また、ガーベラ、ヒマワリなどは茎が腐りやすいので、水は少なめに調整しましょう。市販の延命剤を使うのもいいですね。

Q2 吸水フォームはどのくらいの頻度で
水をやればいいのでしょうか。
他に注意することがあったら教えてください。

A アレンジした日は花材の吸水も勢いがありますから、翌日にはチェックを。吸水フォームの湿り気がなくなっていたら水を加えてください。散った花や葉などがそのままになっていると、

カビが生えることもありますから注意を。一度吸水して乾いたものは、再び吸水はできません。また、2個重ねて使うこともできませんから、カットは考えてからしましょう。

Q3 切花用のアジサイが人気ですが、長持ちしないと聞きました。手入れ法はありますか。

A アジサイが長持ちしないのは、アジサイの水揚げが悪いからです。その原因は茎の中央にある白い柔らかい部分。まずこれを取り除きます。ナイフでで

きるだけ斜めに切って、取りだします。あるいは、茎の先を黒くなるまで焼く焼揚げ（p121参照）をすれば、長持ちするでしょう。

Q4
小さな剣山をアレンジに使うことがありますが、
挿す花も茎の細い花が多いのです。
そんなときはどうすれば
剣山にしっかりささるのでしょうか。

A 茎に靴を履かせましょう。太い茎を5cmほど用意します。そこに細い茎を挿しこみます。この状態で剣山に挿します。吸水フォームの場合も細い茎や茎の中が空洞のガーベラなどは、ひと手間必要です。ガーベラでは中にワイヤーを通します。アイビーなどの細い枝はUピンで留めます。

Q5
野の花はとても弱いと聞きました。
持ち帰る場合の水揚げの仕方を教えてください。

A 摘んで持ち帰るときには、濡らしたティッシュペーパーで茎を包み、全体を新聞紙にくるみます。花からの水分の蒸発を防ぐためです。家に着いたら、葉や茎を整理して、再び新聞紙に包んで、水揚げをしましょう。1時間ぐらいは浸けておきます。水に浸かるところの葉はカットしておきましょう。

Q6
口にはだせないが、花屋さんが
嫌なお客と思うのはどんなお客でしょうか。

A 花を大切に考えるお花屋さんは、花を傷つけることを嫌います。例えば、お客が自分でバケツから花を抜いたり、戻したりするという行為は嫌うでしょう。花が傷つくおそれがあるからです。また、お花屋さんに来てから「どうしょうかしら」と考えるお客さん。もちろん花を見てみないとわからないということはありますが、飾る場所、花器などは考えておき、花を選ぶ前に花屋さんに相談をするといいですね。

アレンジメントに関する用語集

アウトライン
「グリーンを花器のアウトラインに挿す」というように使われ、輪郭あるいは外形の意味。

ビジュアルフォーカルポイント
「フォーカルポイントはバラ」といように使われますが、見たときに一番目立ちアレンジの中心になるものをいいます。単に「フォーカルポイント」といえばこれを指します。

メカニカルフォーカルポイント
ビジュアルフォーカルポイントに対し、吸水フォーム中のことで、茎を1点に集中して挿すことをいいます。

グルーピング
花材を種類や色で集めて固まりで見せること。強調するときなどに使われます。（p18参照）

ラウンドスタイル
360度どこから見ても丸い形で、四方見のデザイン。吸水フォームの中心に向かって挿していきます。（p10参照）

トライアンギュラースタイル
二等辺三角形の形が基本のデザインで、左右対称に花を挿していきます。三方見のデザイン。（p12参照）

ホリゾンタルオーバル
上から見るとダイヤモンド型に見える水平のデザイン。上、横、正面と違う表情を楽しめます。（p13参照）

ファンスタイル
扇を開いたような形からこの名が。三方見のデザインで、少ない花材でも華やかなアレンジになります。（p14参照）

パラレル
茎がきれいな花材に向いているデザインで、花材を垂直、平行に構成しラインを見せます。（p14参照）

Lシェイプスタイル
L字に構成する、ラインが美しいデザイン。空間を華やかに演出するのに適しています。（p16参照）

三方見
正面と両横から鑑賞できるデザインで、壁面や窓辺のように背にする部分がある場所に適しています。（p15参照）

四方見
360度どこから見ても鑑賞できるデザインで、テーブルなどに適しています。（p15参照）

ドミナント配色
ドミナントとは支配するという意味。全体の色味を整えて、統一したイメージを与える配色技法をいいます。（p42参照）

タジマジスタイル
同じ種類の花材を層にして丸い形を作っていくスタイル。ブーケアレンジに使われます。（p44参照）

スパイラル
ブーケを作るとき、中心にした花のまわりに1本ずつ斜めに挿していき、ラセン状に束ねること。花が重ならずラウンドに構成されます。

ラインフラワー
グラジオラスのような1本の茎に花がついてるもので、デザインのアウトラインになります。（p16参照）

マスフラワー
バラやアジサイのような花弁が集まった花で、花の形が丸いもの。ラインフラワーとフォームフラワーの中間に位置し、フォームフラワーを使わないときはマスフラワーの中で一番大きく、見栄えのよい花を中心にもってきます。（p16参照）

フォームフラワー
ユリのような形が個性的な大輪の花で、花びらが1枚かけても存在しなくなる、アレンジの主役になる花です。（p16参照）

フィラフラワー
カスミソウのような小さな花が集まったもの。空間を埋めたり、立体感をだすのに使われることが多い花です。（p16参照）

Information

●一般社団法人ユニバーサルデザイナーズ協会
代表理事：長井睦美（本誌監修者）
芦屋本校：兵庫県芦屋市東芦屋町 15-20-101
東京、名古屋、福岡でもレッスンを行っている。
E-mail: hana@seika-co.jp
http://u-ds.jp/

[フラワーデザイン基礎コース]
フラワーアレンジメントと生け花を同時にレッスン。初心からプロとしても対応できるまで学べるカリキュラム。
＊国家フラワー装飾士の検定過程をカリキュラムに取りれる。
＊草月流の免状を同時に取得可能。

●花材協力
[スコッチ株式会社]
Japan Flower Tradeing 神戸営業所
クオリティの高い花材に定評がある。5～20本ぐらいの小ロットの購入ができる。資材の品揃えも豊富。
　兵庫県神戸市東灘区深江浜町 118
　TEL078-453-4770
　http://www.himehana.jp/

[加茂花菖蒲園]
観光植物園として有名だが、花菖蒲やアジサイなどの品種改良を手がけ、オリジナルのアジサイなどを提供している。
　静岡県掛川市原里 110
　TEL0537-26-1211
　http://www.kamoltd.co.jp/

[おくだばらえん]
農薬を使わずに、様々な種類のバラを育てている。
　京都市伏見区深草瓦町 10
　TEL090-8982-3319

監修
長井睦美

一般社団法人ユニバーサルデザイナーズ協会 代表理事
一般社団法人アジア花の文化協会 理事
厚生労働省国家検定1級フラワー装飾技能士
大阪府職業訓練指導員
公益社団法人日本フラワーデザイナー協会講師
フラワーアレンジメントを神保豊氏に師事
草月流 師範
NHK文化センター、朝日テレビカルチャースクールで講師を務める

制作スタッフ
廣澤洋子

一般社団法人ユニバーサルデザイナーズ協会 理事
厚生労働省国家検定1級フラワー装飾技能士
千葉県職業訓練指導員
草月流 師範
NHK文化センター、池袋コミュニティカレッジで講師を務める

Staff

構成・編集	森下 圭	Kei Morisita
撮影	スタジオアイランド	
	武井里香	Rika Takei
	武井優美	Yumi Takei
デザイン	小幡倫之	Noriyuki Obata
	高道正行	Masayuki Takamichi

デザインの基礎が身につく
フラワーアレンジ 上達レッスン60 新装版

2022年3月30日　第1版・第1刷発行

監修者	長井睦美（ながいむつみ）
発行者	株式会社メイツユニバーサルコンテンツ
	代表者　三渡 治
	〒102-0093 東京都千代田区平河町一丁目1-8
印刷	シナノ印刷株式会社

●本書の一部、あるいは全部を無断でコピーすることは、法律で認められた場合を除き、
　著作権の侵害となりますので禁止します。
●定価はカバーに表示してあります。
©オフィス・クリオ, 2012, 2018, 2022. ISBN978-4-7804-2592-5 C2076 Printed in Japan.

ご意見・ご感想はホームページから承っております
ウェブサイト http://www.mates-publishing.co.jp/

編集長:折居かおる　企画担当:折居かおる
※本書は2012年発行の『もっと素敵にセンスアップ！毎日のフラワーアレンジ60
のポイント』の書名・装丁を変更し再発行した『デザインの基礎が身につくフラワ
ーアレンジ上達レッスン60』(2018年発行)の「新装版」です。発行にあたり、内容を
確認のうえ必要な修正を行い、装丁を変更しています。